ANNE DUDEN   WIMPERTIER

ANNE DUDEN

WIMPERTIER

KIEPENHEUER & WITSCH

Library
University of Texas
at San Antonio

2. Auflage 1997

© 1995 by Verlag Kiepenheuer & Witsch, Köln

Umschlaggestaltung Kalle Giese, Overath
Umschlagmotiv Clea Wallis
Satz Jung Satzcentrum, Lahnau
Druck und Bindearbeiten Bercker Graphischer Betrieb GmbH,
Kevelaer
ISBN 3–462–02449–3

INHALT

I

FLEISCHLAß

Es geschieht nicht jede Nacht, aber doch etwa jede zweite. Erst läßt es mich die Backenzähne so fest aufeinanderpressen, daß ich noch Stunden später den Druck im Unterkiefer spüre. Dann wälzt es sich als aufgeladene Reizmasse durch meinen Körper, zieht Schleifen, schlägt Haken, mäandert die Arme und Beine auf und ab, jeweils ganz dicht unter der Haut, so daß einige der von der Masse ausgesandten Reizwellen, oder zumindest deren Ausläufer, noch durch sie hindurchdringen und auf der Außenfläche spürbar werden. Immer nur flüchtig, immer gleich wieder an einem anderen Fleck. Daß es sich nicht dingfest machen läßt, daß es mich benutzt und an mir herumprobiert, als wäre ich ein Kadaver, ein vorgefundenes Fressen, das ist die wahre Qual.

Aber dann ist das plötzlich vorbei, und die immer wieder und immer noch unerwartete Leere und Ruhe, die danach in mir zurückbleibt, läßt mich augenblicklich mit einem überwältigenden Gefühl des Verlassenseins erwachen. Als hätte ich mich gerade gehäutet und der lebende Leib hätte sich davongemacht und ich wäre nur noch die pergamentene verknitterte Umhüllung.

Nun versuche ich, die Augen zu öffnen, was mir nie gleich gelingt. Mehrere lange Sekunden sind die Lider fest verklebt. Und erst ein gewaltsamer Ruck reißt sie auseinander und erzeugt einen solchen Schmerz – besonders im oberen Lid des rechten Auges –, daß ich mich aufrichten muß und mich gekrümmt auf die Bettkante setze. Das Ganze ist oft begleitet von einem unerträglich lauten Geräusch, einer Art Sprengungsdonner, der sich gar nicht wieder legen will. Als er zum ersten

Mal auftrat, erschreckte er mich so, daß ich ans Fenster lief. Ich erwartete eine Katastrophe auf der Straße, in der Stadt, im ganzen Land, und wußte noch nicht, daß der Lärm aus meinen eigenen Lidern kam, von ihrem Krampfen und Zucken.

Wenn er allmählich verebbt, geschieht es meistens: die Dunkelheit wird nun noch um einige Grade dichter und verharrt dann regungslos in sich selbst verbissen. Und mitten darein fällt dieser schwarze Schein einer erkalteten, längst verstorbenen Sonne. Da legt sich mir alles leblos zu Füßen; die Haut ist abgetakelt, die letzten Zuckungen haben sich gestreckt. Die Bilder entledigen sich ihrer Konturen und tragen ihre Farben ab, und die Musik widerruft den Ton und geht schnell verloren. Ich kann es dann nicht mehr begreifen: Leben soll sein? Und mit einem Schlag verstehe ich die ganze Finsternis und überblicke mich selber, wie ich da so miniaturhaft in dünnem Nachthemd auf einer Bettkante sitze und schließlich die Nachttischlampe eingeschaltet habe und zwischen Schlaf und Wiederschlaf meine Glieder anwinkle oder strecke und meine Augen wie die eines Tieres dumpf geradeaus kucken, als wäre das eine Richtung. Auf der anderen Seite des Bettes liegt noch jemand und schläft. Auch ganz klein und sogar ohne Nachthemd. Geworfene Mäuse zwischen zwei behaupteten Punkten: Anfang und Ende. Das ist alles. Und dazu diese rechten Winkel und die sie bildenden Mauern und das an die Mauern geklebte geblümte Papier und der mit weißer Ölfarbe angestrichene Heizkörper. Das muß ja alles mal ausgedacht und für sinnvoll befunden worden sein. Das Wort Einrichtung fällt mir unweigerlich ein, und bis zu seiner körperlichen Herkunft kann ich es jetzt durchschauen. Flach klappt es die Welt zusammen und

macht daraus im Handumdrehen Zwei-Zimmer-
Küche-Bad.

Übermächtig aber und dabei durch und durch an-
spruchslos die sang- und klanglose Dunkelheit, die alles
verschluckt hat und nichts wieder ausscheiden kann.
Unübersehbare Leichen- und Müllberge, Vergangen-
heiten noch und noch. Erinnerungen, unzählige Blicke
und still aufgenommene Wahrnehmungen – alles zer-
mahlen und zermalmt und zerstäubt. Und gestern, war
denn gestern ein Tag, war es hell, hat das Telefon geklin-
gelt, flogen Flugzeuge und fuhren Autos, hat die Katze
gefressen?
Sämtliche Verbindungswege sind abgeschnitten. Es muß
Krieg sein. Die Tage sind vielleicht schon auf ewig besiegt, und es wird nie wieder hell werden. Ich verstehe
das gut. Auf die Dauer hätte ich mir das auch nicht bie-
ten lassen. Allein die Geschwindigkeiten im Himmel
und auf Erden, die Tag für Tag die Luft zerschnitten, bis
nur noch Gehäcksel und Streifen übrig waren. Wie im
Frieden war es ja nie. Wenn er sich mir – immer nur
kurz – zeigte, war er gleich umwerfend. Und jedesmal
ließ er mich erschöpft und besiegt zurück, weil er in
keinem Verhältnis zum übrigen stand, weil jeder Ver-
such, ihn festzuhalten und hinüberzuretten, in eine
unmenschliche Anstrengung ausartete und in die dar-
auffolgende Verbitterung und Verzweiflung über die
unaufhebbare Ohnmacht.

Gestern noch muß das gewesen sein, als ich ganz
gewohnheitsmäßig beim Abwaschen Musik hörte und
als sich plötzlich alles in mir, das gesamte Innere meines
Körpers einschließlich der schwereren Knochen, auf-
zuschwingen versuchte. Sogar die Härchen auf der

Haut stellten sich auf. Meine Gehirnschale hob schon ab, als wäre sie eine Perücke. Die Trompeten und Pauken durchschlugen meine Müdigkeit und Bitternis wie Geschosse; sie trafen auf einen weichen Widerstand, der, einmal durchstoßen, sich ihnen gleich entgegenwälzte und dann in Säulen aufzusteigen begann und immer höher hinaus wollte. O EWIGES FEUER O URSPRUNG DER LIEBE ENTZÜNDE DIE HERZEN UND WEIHE SIE EIN. Gebündelt schoben die Stimmen dieses festgefügte Gejubel in die Höhe, drückten nach, warfen es wiederholt über sich, bis es in Kaskaden hoch oben stehenblieb.

Hier, in dieser stumm untergelagerten und hochgewölbten Dunkelheit kann sich nichts entzünden, herrscht keine Ansteckungsgefahr. Hier fließt nicht einmal stundenweise Blut. Kein Lodern, keine hitzige Wärme weit und breit, nicht einmal entfernt widerscheinendes Feuerwerksgetue. Bis hierher kann kein Funke überspringen, so ausgedehnt ist der längste Funkenflug nicht.

Ja, also hier sitze ich, in der Todesfalle aller Tage, und finde nicht mehr zurück. Diese Entfernungen, die irgendwo in Lichtjahre übergehen, schaffe ich nie. Innen muß ich auch schon ganz schwarz sein und voller Schmauchspuren an den Außenrändern von dem teils in Rauch aufgegangenen, teils verkohlten Geist, der mich zu häufig bis zur Weißglut erhitzt und versengt und der immer wieder versucht hat – unter Wasser, im Eis, im Beton –, Feuer zu legen. Bis er, eingekeilt, nur noch an sich allein brannte, ohnehin schon unterernährt und kurzatmig. Zum Schluß fraß er sich selber auf, kokelte kränklich vor sich hin und verschwelte endlich.

MEIN SAFT MEIN GELIEBTER MEINE FLAMME IST TOT.
O Ursprung der Liebe. Death has painted your face.
Ein harter Klumpenleichnam, der mir zu schwer im
Magen liegt.

Jetzt muß nur noch gesagt werden, was war, bevor ich
hier hineingeriet.
Einmal war es plötzlich Weihnachten. Monatelang
zuvor waren mir die lückenlosen Ankündigungen einfach entgangen, selbst den Shopping Countdown der
letzten vier Wochen bemerkte ich nicht, weil mich
anderes vollkommen beschäftigte. Ständig mußte ich
Streit schlichten, denn ich vertrug mich nicht. Mehr-
mals täglich dachte ich daran, mich von mir zu tren-
nen und einen Schlußstrich unter mich zu ziehen. Nur
noch sekundenweise hatte ich mich in der Gewalt.
Und dann war eben von heute auf morgen Weihnachten, und ab ging es nach Nottingham zur verwitweten
Mutter meines letzten Geliebten. Sie empfing uns mit
über der Brust verschränkten Armen. Merry Christ-
mas, Mother. Es war alles in Ordnung. Schon unter-
wegs hatte uns der Tankwart leichthin angelächelt, und
im Zeitungsladen hatte der im Hintergrund sitzende
schwarzbraun gemusterte Hund mich aufmerksam ver-
ständnisvoll angeblickt.
Am ersten Abend gab es in loser Folge drei Fernseh-
filme in dem einen Zimmer, in dem wir sprachlos miteinander saßen. Der nächste Morgen fing mit drei ver-
schiedenen Radioprogrammen in den drei unteren
Zimmern an, im vierten saß ich tonlos auf dem Bett. Ich
war sehr gutwillig, ich hielt durchaus zu mir. Nach dem
Spaziergang am Fluß setzte allerdings eine leichte Veränderung ein. Und außerdem wurde es auch schon
dunkel. Ich zog mich wieder ins obere vierte Zimmer

aufs Bett zurück. Die Radio- und Fernsehprogramme hielten, einander überlagernd, das Haus von unten bis oben besetzt. Sie bildeten ein dschungelhaft diffuses Gewucher aus Singen, Schießen, Schreien, ruhigem Erzählen und Musizieren, das immer mal wieder für ein oder zwei Sekunden in sich selber zu versacken schien, um gleich darauf wütend erregt die flachaufliegende Stille erneut zu durchstoßen und sie nur noch gnadenloser auszurotten.

Ich hatte aber durchs Fenster einen weiten Blick über die Stadt. Ein heftiger Wind heulte ums Haus. Unter tieffliegenden schwarzen Wolkenverbänden bis zum hügeligen Horizont waren die Häuserreihen im Anmarsch auf die verbliebenen Luft- und Erdreste. Mir würde doch wohl keine Träne mehr kommen. Schließlich war jedes einzelne Haus in diesem Heer voller Zellen, und jede Zelle voller Schlachten und jeder Mensch in ihnen nochmals eine Schlacht.

Da, das war der Durchbruch. Das hatte mir gerade noch gefehlt. Gegen die Schwärze eine plötzliche Bläue, als wollte es Tag werden, immer weiter, klarer, flacher. Und am äußersten Rand ein scharf abgestochenes Abendrot. Migränewetter, sagte meine Mutter in diesem Moment aus großer Entfernung zu mir. Aber ich hatte nicht einmal einen leicht vergänglichen Kopfschmerz. Hingegen passierte es nun wirklich: Ich trennte mich endgültig von mir und war hellwach, um alles genau mitzubekommen. Das Herz hämmerte zuerst wütend auf mich ein, machte dann einen Satz und schlug sich klar auf die andere Seite. Es war sich sofort mit ihr einig.

Ich hörte, wie sie unten meinen Namen riefen. Ich ging hinunter, sagte ihnen, daß ich mich nicht wohl fühle und daß ich ein bißchen frische Luft brauche. Sie verstanden das: der Puter, der Alkohol.

Ich griff nach meinem Mantel, sie halfen mir hinein. Die Mutter meines letzten Geliebten fragte: Would you like to take a painkiller? Aber ich lehnte lächelnd ab und bog schnell um die nächste Ecke. Gleich darauf setzte ich mich an einen Rinnstein. Es war überhaupt nichts los. Keine Menschen, keine Autos. Selbst der Wind hatte aufgehört.

Ungeniert legte ich den Kopf auf die Knie. O Ursprung der Liebe! Was soll ich bloß anfangen, wohin kann ich denn mit diesen neuen rotbraunen Stiefeln alleine schon gehen? War es eine Wölfin, eine Bärin, eine Raubkatze, die jetzt wild in mir aufheulte, den Ton lange anhielt, dann wieder neu einsetzte und endlich verstummte, weil sie Maul und Kehle für anderes brauchte? Da sie noch keinen Ausweg aus mir heraus gefunden hatte, bewegte sie sich körpereinwärts. Ganze Stücke Fleisch, Muskeln, Eingeweide, Knochen riß sie heraus, würgte sie hinunter, erbrach sie in meine schlingernde Bauchhöhle. Sie hatte wutende Kraft, mein pumpendes Herz versorgte sie. Schließlich kam sie bei den Nervenenden an und riß sie allesamt aus ihren Verankerungen.

Das verursachte die ersten Austritte aus der Haut. Wie verrenkte Drähte durchstachen sie die Glätte und ragten bald überall ungeordnet aus mir heraus. Am deutlichsten im Gesicht, denn das war ja unbedeckt, und auf dem Kopf, denn ich trug keine Mütze. Zwischen den Beinen hatte ich schon vorher geblutet.

Ich konnte mich unter keinen Umständen mehr zurücknehmen. Also machte ich mich auf den Weg zurück, so wie ich war: Medusenschrott. Diese paar Schritte nur um die Ecke. Das Nervengewirr wippte bei der kleinsten Bewegung nach, jedesmal, wenn ich auftrat, wurde es wie in heftigem Sturm hin und her gerissen.

Ich kam ins Krankenhaus. Die Ärzte sagten kurz und bündig zu meinem letzten Geliebten: In einer Woche ist sie schon tot. Sie können mit den Vorbereitungen in aller Ruhe beginnen. Übrigens haben wir ein hauseigenes Krematorium. Am besten, Sie gehen gleich mal mit ihr vorbei und melden sie an. Und noch eins, fügten sie hinzu, als wir bereits halb aus dem Untersuchungszimmer waren, Sie sollten ihr in der verbleibenden Zeit unbedingt ab und zu Erleichterung verschaffen. Wir empfehlen dringend den in diesen Fällen lang bewährten Fleischlaß. Beißen Sie ihr alle zwei Tage ein großes Stück Fleisch aus ihrem Körper. Das wird sie nicht wollen, aber es ist lebensnotwendig und tut ihr gut, glauben Sie uns. Sie wird natürlich davor zu fliehen versuchen. Na, das Gewohnte. Aber Sie werden ja wissen, was Sie zu tun haben. Also, alles Gute, Herr – wie war doch gleich Ihr Name?

Der ganze nächste Tag hatte etwas Gealtertes und Glanzloses an sich, trotz des purpurnen Himmels. Gegen Abend, als ich allmählich merkte, daß ich fünfzig geworden war, morgen also sechzig und übermorgen siebzig werden würde, entschloß ich mich, ins Dunkel der Todesfalle von nun an nur noch vorbereitet und herzlos zu geraten. Diesen Unsinn würde ich nicht mehr mitmachen. Dennoch, trotz aller bisher eingenommenen Sedativa geschieht es nicht jede Nacht, aber doch ungefähr jede zweite.

DIE JAGD NACH SCHÖNEN GEFÜHLEN

Ich bin immerzu auf der Jagd nach schönen Gefühlen. Ich brauche täglich mein bestimmtes Quantum. Bekomme ich es nicht, geht es mir schlecht, ja gehe ich zugrunde. Ein Dauervorgang an gewissen Vormittagen Nachmittagen Abenden.

Aber selbst nach dem schlimmsten Jagdergebnis und den wüstesten Folgen ist mein Jagdfieber spätestens mit jedem neuen Morgen auch wieder neu da. Schon lange ist mir ein Rätsel, warum nichts und niemand bisher geschafft hat, es nachhaltiger zu beseitigen. Als wären Mißerfolge gar nichts.

Ich habe natürlich eins gelernt, wenn auch erst spät in meinem Leben, daß es nicht lohnt, hinter einem schönen Gefühl auch noch mit dem Anspruch auf Dauer herzujagen. Denn aus irgendwelchen Gründen will sich keins länger als höchstens ein paar Stunden bei mir halten. Es genügt, daß ich einmal über Jahre hinweg unbeugsam ein einziges schönes Gefühl durchzubringen versucht habe. Davon bin ich noch heute gezeichnet.

In aller Frühe geht es schon los. Nichts kann mich daran hindern, mir mein süßbitteres Continental Breakfast vorzustellen und die Post, die ich dazu lesen werde. Es hat sich so ergeben, daß dieses erste schöne Vorgefühl sich etwa zur gleichen Zeit einstellt, zu der unter mir Capitol Radio, über mir kreuz und quer und langgezogen die Flugzeuge, um mich herum – in einem Abstand von einigen Metern – Autos, Motorräder und Busse quietschend, tosend, dröhnend und pfeifend zu toben beginnen. Um die Zeit sind die Vögel schon am Ende, sie schlagen zu, wenn sie den Geräuschhorizont noch ganz für sich haben. Kein Wunder.

Später am Tag sitze ich vielleicht im Bus und fahre von einer Bestimmung zur anderen. Kein Zweifel, die Umgebung ist verraten, verkauft und aufgegeben. Vom Oberdeck aus läßt sich das gut überblicken. Jetzt muß ich mir nur noch die Menschen wegdenken. Endgültig, versteht sich. Und alle. Aber ich. Ich bin ja noch hier. Ich lebe mit Mördern und Gemordeten zusammen. Mit tschilpenden Spatzen und großköpfigen Labradorhunden. Mit Fernseh- und Videoschirmen und Computerschach unter einem Dach. Ich halte das alles aus, ja, sogar alles auf einmal, nur brauche ich schon wieder dringend ein schönes Gefühl. Ich könnte mir ja nachher – natürlich, das mache ich: ich kaufe mir eine Hängepflanze für das Stück Mauer in meinem Blickfeld. Ja, und während ich mich bei diesen Gedanken aufatmend und mit einem kleinen, aber deutlich hörbaren Seufzer wieder zurücklehne, sauge ich äugend noch das kümmerlichste Pflanzenwerk, meist Grashalme, aus den Müll- und Schrotthaufen vor und zwischen den Mauern, identifiziere ich die Winzigblüten und Knospen auf den Simsen, in den Fugen. Drüben blüht ein Mandelbäumchen. Wie nett es hier ist. Wie warm die Sonne ins Oberdeck scheint. Und morgen ist wieder ein Tag.

Trotzdem, so kann es nicht weitergehen. Ich bin ja ganz krank an allen Ecken und Enden. Und meinem eigenen Leiden auf die Schliche zu kommen, ist nicht mit Medizin oder gar Heilung gleichzusetzen.

Denn das schönste schöne Gefühl ist die Liebe. Und hinter ihm bin ich her, pausenlos, hartnäckig, unermüdlich. Gierig geifernd und besessen. Kein Kleiderkauf, keine neue Kosmetik, kein Buch, keine Erkenntnis, nicht einmal Musik kommt da mit. Es ist beispiellos und unvergleichlich. Bekomme ich dieses schöne

Gefühl einen ganzen Tag lang unerbittlich überhaupt nicht, stellen sich abends bereits Unruhe und wildes Herzjagen ein. Die Nacht wird in jedem Fall schlaflos. Ist auch am Morgen noch keine Liebe da, wird mein Zustand bedenklich. Ich kann weder essen noch trinken, noch normal reden und denken. Gegen Mittag leide ich unter schwärzester Sinnentleerung, und noch vor Abend bin ich schwerkrank. Und nichts kann mich mehr ablenken davon, obwohl ich alles ausprobiere. Es ist natürlich ein sehr ernster Zustand, ja es handelt sich um die höchste Alarmstufe. Und ich bin sicher, eines Tages, an einem dieser Tiefpunkte, bleibe ich weg, tauche ich einfach nicht wieder auf. Einer Hallig gleich, die nach zu vielen Überflutungen endgültig versinkt.

Denn das ist es schon jetzt die ganze Zeit mein Leben lang, was diesen Zustand charakterisiert: das temporäre Verschwinden meiner Selbst. Ich gehe unter, ja ja, ich gehe unter. Nur weil ich – ein paar Stunden lang – keine Liebe gekriegt habe. Und ich brauche Rettung, ich muß gerettet werden, jedesmal aufs neue. Und die Rettung muß von außen kommen, denn aus mir kommt sie nicht mehr. Ich habe mich schon bis auf die allerletzte Körperzelle durchforstet und abgeklopft nach Selbsthilfe. Mich inwendig geradezu verzehrt und ausgelutscht. Keine Ader, keine Vene mehr, durch die unbewußt und unangezapft das Blut plätscherte, kein Darmstrang, keine Peristaltik, die unerkannt im Dunkeln das zu Verdauende einfach vorbeischieben könnte, keine Schleimhaut, die bei den ständigen Bemühungen, Eigenhilfe zu produzieren, nicht schier ausgetrocknet und verdorrt wäre. Nein, die Rettung muß von außen kommen. Ich muß buchstäblich gehoben werden, an- und aufgehoben. Aus diesen Überflutungen heraus, diesem Landunter-Zustand, in den mich die anhaltenden Weinanfälle gebracht haben. Ich muß abtropfen, langsam trokken und ruhig werden und dann möglichst schnell mit einem Übermaß an Liebe bis zum Bersten angefüllt werden. Dann ist mir erst mal geholfen: aufgeblasen mit Liebe. Oft versteh' ich mich dann nicht mehr. Wieso habe ich so gelitten, warum hat es mich so erwischen können. Und nur durch dieses bißchen Liebe soll es mir jetzt besser gehen. Ich bin dann sicher, daß mir Ähnliches nie wieder passieren wird. Bis an der Welt Ende nicht.

Einmal lag ich wach. Es war schon lange Nacht. Aber späte Busse und Autos gaben immer noch keine Ruhe. Ununterbrochen fuhren sie die Straßen auf und ab. Und auch die Schritte auf dem Trottoir – kräftige und weit ausgeholte – hallten weiter zu mir herein, die ich schon ganz klein zusammengerollt dalag. Ich war bereits unsäglich krank. Ich wußte es. Jede einzelne Zelle wußte es. Ich drehte mich, ich wendete mich, ich ruckte noch enger in die Liegespirale und näherte mich zentimeterweise der letzten Mauer, die schon in Greifweite war. Ich war in meiner Lage bei vollem Bewußtsein. Deutlich sah ich, daß keine Rettung mehr kommen würde. Die letzte Schlaftablette war lange geschluckt, die kleineren noch herstellbaren schönen Gefühle wären in diesem Zustand wirkungslos gewesen. Ein möglicher Retter, mein Geliebter, lag von sich selbst und mir aufgegeben am anderen Ende des Wohnbereichs im Tiefschlaf wie in einem schwarzen Loch. Festgekrallt darin und doch ganz entspannt und schwer.

Ich drückte mir Wachs in die Ohren, bis tief in die Gehörgänge hinein. Damit wenigstens Geräuschferne eintrete. Aber meine Herzohren, diese kleinen Zipfel links und rechts und tief hinter der Brust, sie wirkten nun wie Schallverstärker und zwangen mich ins Innere meines Körpers wie in einen dickwattierten Kugelraum. Draußen war alles dumpf weggepackt bis weit hinter eine pelzige Schicht. Drinnen ein einziges Pumpen, konzentrisch sich weitend und wieder verengend. Ein Schlund, der eine zähflüssige Substanz ansaugte und abgab, aus der Schwärze in die Schwärze, gleichmäßig und ohne Sinn und Verstand. Meine Augen übertrugen es sich auf die innerste Schicht ihrer Lider. Bei jeder Pumpeinheit zerplatzte ein milchig-violetter, von Nebelschleiern überflatterter Ball in unzählige Staub- und Bläschenpartikel, die als Schwarm aufstiegen und sich in der Ferne verloren, um plötzlich am ganz nahen Horizont als weiße Vision in der Gestalt eines auf seine Spitze gestellten gleichschenkligen Dreiecks wiederaufzutauchen. Ein Pyramidenauge. Hier geht es lang, immer auf der Stelle.

Unsagbar fern und gedämpft, wie im Leben eines anderen, das Geräusch schleifender Busbremsen und sich selbst sprechender Worte und Satzstücke, an niemand gerichtet, von niemand gesagt und von keinem Körper weitergetragen. Es mußte sehr spät sein oder sehr sehr früh. Versuchsweise machte ich die Augen auf. Eine Ewigkeit konnte vergangen sein oder nur eine einzige Sekunde oder gar nichts. Die Dunkelheit in der Nähe meines Kopfes schien sich zu bewegen, ja, sie beugte sich zu mir hin und dann über mich. Es war ein Körper, dunkler als das Dunkle im Raum. Der Körper beugte sich bis an mein Haar, ich spürte auch seinen Atem und wußte auf einmal überdeutlich: dies jetzt war die Rettung. Arise my love, my fair one, and come away. Und klar verstand ich nun auch einen an mich gerichteten Satz: Komm ins Bett. Ein Ablauf stellte sich her, ein zusammenhängendes Wissen. Die Busbremsen waren die über den Bodenbelag schleifende Tür, der Körper war hereingekommen und hatte nah an meinem Kopf gesagt: Komm ins Bett, komm doch ins Bett. Ich nahm meine Decke und mein Kissen unter den Arm, entfernte die Wachspfropfen aus dem Gehör und folgte dem Körper ins andere Zimmer. Seine Wärme spürte ich wie eine zweite, über mich gebreitete, dickere Haut. Ich mußte jetzt nicht mehr denken, sehen oder hören. Wer kennt nicht dieses Kindergefühl. Es war schön.

Aber es kommt noch etwas hinzu, so etwas wie ein kybernetisches Prinzip, das immer dann zu arbeiten beginnt, wenn es zuviel des Guten ist: wenn das schöne Gefühl nicht durch Außeneinwirkung bald wieder zerstört, gründlich in Frage gestellt, durch Beweis des Gegenteils aufgelöst wird, also gleichsam einer natürlichen Auslese zum Opfer fällt, schnappe ich über. Ein Umschlag findet statt, ein Umschwung, durch den das schönste schöne Gefühl vorerst in den Schatten gestellt und bald vollkommen bedeutungslos wird. Fast mutet es dann kleinlich an, auch lächerlich und unwürdig. Denn jetzt ist statt dessen das Mitleid da, hat sich unübersehbar ausgebreitet, wo eben noch die Liebe saß, angefüllt mit meinem Fleisch und Blut. Das Mitleid, dieses zerstörendste aller Mitgefühle, das mich anweht wie eine Infektion. Ich scheine keine Abwehrmechanismen gegen es zu haben. Was ist meine Person, was sind meine Pflichten und Notwendigkeiten gegen dieses Gefühl.

Dann blicke ich aus weiter Ferne auf meine Begierden und mein Begehren. Wie konnte ich nur so rücksichtslos sein, so engherzig und eigennützig. Wo es doch um ganz anderes geht, nämlich um Mitmenschen und natürlich auch Tiere und Pflanzen. Und schon wieder drohe ich unterzugehen, wenn auch jetzt aus anderen Gründen. Ich schlucke angestrengt das Überquellende hinunter. Wieder und wieder. Und man kann nur hoffen, daß mich jetzt schleunigst etwas vor dem Untergang rettet: ein plötzlicher Anruf, ein mich überfallendes Schlafbedürfnis oder irgendeine dringend zu erledigende handwerkliche Pflicht.

Aber wie man sieht, im Grunde ist mir nicht mehr zu helfen. Die tägliche Summe der Unerträglichkeiten bleibt konstant. Das werfe ich mir am meisten vor. Es ist ein in mich und meine Umgebung – wo auch immer ich lebe, wohnen oder mich aufhalten mag – eingebauter Code, ein Prinzip der Selbstregulation, das ich nicht überwinden kann.

Nun bleibt mir nur noch, auf mein Alter zu hoffen. Ich habe von anderen Fällen gehört, daß einem dann alles egal sein soll.

WIMPERTIER

Fiedrig verfranstes Gold in hängenden Wassermassen.
Endlich. Abends. Und ein bleiches, scharf gerändertes
Blau unter dem einzigen, hingetuscht rosigen Licht-
nebel. Lärm steigt aus den Härteschichten auf, unge-
dämpft, von hohler Kälte beflügelt, und das Gas ver-
strömt sich und findet kein Ende.
Dies ist, von allen Momenten, immer noch der beste.
Noch kann sie, einmal am Tag im Monat im Jahr auf-
und durchatmen und sich selbst spüren lassen, daß an
dem Rumpf mit seinem dickleibigen Großauge Arme
und Beine sich befinden, die jetzt gerade leicht pendeln,
bevor sie ein wenig ausschreiten und -greifen werden.
Zur Erinnerung.
Nein, mit der Dunkelheit im Rücken. Nein. Die Rip-
penheber mögen sich nicht mehr rühren. Einmal am
Tag, wenn es hoch kommt. Und die Schwellkissen sind
dünn und durchsichtig geworden, zwei schlecht ver-
nähte, jetzt bei der kleinsten Bewegung aneinander-
reibende Häute. Die Füllung ist ihnen ausgegangen,
denn ich stoße mich zu oft, und alle fadenziehende
Flüssigkeit, allen Gallert brauche ich für den einen
entscheidenden Kampf, der früh morgens, oft noch
in tiefster Dunkelheit, einsetzt und dann gewöhnlich,
allerdings an Intensität abnehmend, den ganzen Tag
andauert. Durch so dicht aufgehäufte Schleimschich-
ten dringt natürlich kein Vogelgesang, nur schlieriges
Licht, das, ehe es hier ankommt, schon durch sämtliche
Lager- und Verbrauchszonen gejagt worden ist.
Mit der Dunkelheit im Rücken, bestimmt nicht. Und
vollkommen aufgerieben in den Gelenken. Ständig zieht
mir auch jemand die Haare einschließlich der Haar-

zwiebeln aus. Die meisten nachts. Aber meine Kopfkissen sammeln sie alle und hinterlegen sie mir. Unter dem Hortensienstrauch, der gerade jetzt, während der kältesten Jahreszeit, in voller Blüte steht, mußte ich kürzlich die wenigen mir wichtigen Toten wieder ausgraben. Es war eine leichte und trockene Arbeit. Denn es handelte sich jeweils nur um die drei entscheidenden menschlichen Innereien: Herz, Niere, Leber. Alles andere war nicht begraben worden. Und diese waren, eingewickelt in blaue Plastikfolie, gebündelt und verschnürt, nur oberflächlich im Torfmull eingebuddelt. Auf jeden Toten kam ein kopfgroßer, weißrosa Blütenball an dem unbelaubten Strauch. Ich stand in einem Verhältnis der Verantwortung zu ihnen, den Toten, aber schuldig war ich nicht.

Erst Holz gegen Holz, gerammt und geschlagen. Und Schreie von Wand zu Wand und vom Boden zur Decke und wieder zurück. Dann Schläge von Metall gegen Holz und Splittern, Spelzen und Reißen, trocken und ächzend, bis zu dem einen steil ansteigenden Schrei über die starr gewölbte Zunge in den jetzt geborstenen Raum. Die Zunge legt sich zurück auf den Mundboden und fließt, verebbt, sackt ab, versickert in Wimmern, Schluchzen und Verstummen. EINE FRAU WIRD BESEITIGT.

Das Mädchen lag auf dem Rücken, herausgeschnitten und abgetrennt, von der Dunkelheit umgeben, die nichts als ein Leitelement für Schlag, Schrei und Entfernen war. Die Tür wurde geöffnet und die Deckenbeleuchtung angeschaltet. Geht sie jetzt tot, fragte sie; ihr älterer Bruder im anderen Bett fragte nichts, aber hatte sich halb aufgerichtet und blickte haltlos umher wie plötzlich blind geworden. Nein, eure Mutter ist... sie braucht nur... nun schlaft schön weiter. Es blieben einige Sekunden zwischen dem Gesagten und dem Abschalten des Lichts und Schließen der Tür.

Sie war aus einem tiefgelagerten Zusammenhang gekommen, gegen ihren Willen, aus einer belebten dunklen Ruhe. Sie wurde unaufhaltsam aufwärts getrieben, nach oben gezogen zu einem unvermeidlichen, unumgänglichen Ziel hin, bei dem sie ganz und gar nicht ankommen wollte. Ein Auftrieb entfernte sie von etwas, in das sie dringend gehörte, eine Schwebefauna und -flora, mit der alle Fasern ihres Bindegewebes, alle Muskelstränge und Sehnen, alle Nervenenden verflochten waren. Hinterrücks war die Verankerung gekappt worden, durch ein plötzliches Geschehen von oben. Einen Anruf, einen Schrei. Vieles von ihr blieb unten hängen, ab- und ausgerissen, der ganze ihr mögliche Frieden, so daß sie rundum wund nun hochgezerrt wurde.

In allergrößter Nähe zum Tumult schon richtete sich ihr Wollen noch einmal auf das Entschwindende, auf die Behutsamkeit des Abgelagertseins. Aber sie ist schon an der Schwelle, sie wird schon über sie hinweggeschleift. Und noch ein letzter Schrei oder Schlag, das Öffnen der Tür oder schon das angehende Licht, und die Wahrheit bricht über ihren aufgebrachten, kleinen Körper herein. Ihr Körper, noch Momente zuvor ein nächtliches geschlossenes Auge, ein großes schlafendes Wimpertier, nun gewaltsam dazu gebracht, das Riesenlid, das ihn ganz bedeckte, zu heben, aufzuschlagen.

FASSUNGSKRAFT MIT HERZWEH

Mein Leben ist ganz klein geworden. Eine Winzigkeit, in der ich mich nicht wiedererkenne. Allerdings scheint fast alles Nötige untergekommen zu sein: Herz, Blut, Gedankengänge, Gefühlsausbrüche und vieles mehr, nachdem sie offenbar erst bis zur Unkenntlichkeit auseinandergenommen und säuberlich zertrümmert und dann – vielfach ineinander verbissen und verzahnt – neu eingedickt und fest zusammengepreßt wurden in miteinander verschweißten Informationskettchen und -tunneln. Ich weiß nicht, wann die Wandlung stattgefunden, über welchen Zeitraum sie sich hingezogen hat. Ich weiß nur, daß es jetzt so ist, daß ich eine lebende Winzigkeit bin. Ich frage mich aber auch, wie ich das aushalten soll, so auf kleinstem Raum zusammengepfercht zu sein.

Oft zum Beispiel ist da neuerdings ein plötzliches Flocken und Aufwallen in meinen Eingeweiden, das mir Sekunden später schon zu Kopf steigt und sich dann sogleich teilt in eine unter der Schädeldecke verbleibende Gallertmasse einerseits und einen vor meine Augen tretenden Schwindel andererseits, der wiederum alles vor mir sich Befindende in eine wolkige Tanz- und Taumelbewegung versetzt, so daß mein Kopf sich immer mitdrehen und -wenden muß.

Oft tut mir auch das Herz so weh, als sei es überbevölkert, als säßen meine weiblichen und männlichen Lieblingswesen, dazu meine Eltern, Brüder und viele andere, als Kinder zusammengekauert und weinend, ja ununterbrochen aufschluchzend in ihm und beutelten es aus, und ihre Tränenflüssigkeit ätzte die ohnehin schon abgewetzte Innenhaut weg und sinterte dann allmählich durch bis auf die Knochen. Dabei faßt schon ein normal ausgewachsenes, ungeschrumpftes Herz nur etwa soviel wie eine ausgewachsene Faust.

FANCY CALLING IT GOOD FRIDAY

Schon der Take-off verlief anders. Kaum hatte sich die Maschine von der Startbahn gelöst, schwenkte sie wieder in die Waagerechte. Ich sah wie von einem Aussichtsturm das Unten zum Greifen nahe. Die Unebenheiten, die Struktur der Dinge waren meinen Blicken nicht, wie sonst beim Fliegen, entzogen. Gleich den Reifen eines Gefährts vermittelten die Augen jede Änderung der Bodenbeschaffenheit. Bald hörten die Lichtketten und -bündel auf, und die Felder im Dämmer. Hinter dem hellen, beweglichen Kräuselband der Küste das dunkle Meer. Ich sah, wie die stetig heranbrandenden Wellen anzuatmen versuchten gegen die Härte des Landes. Sie schäumten weißlich grau, verliefen aber wirkungslos im Küstensand und flossen geschwächt und langsam zurück.

Es dauerte lange, bis ich die Küste nicht mehr vom Meer unterscheiden konnte. Schiffe, grauweiß wie das Wellenband, schienen auf der Stelle und weit voneinander entfernt zu verharren. Nur durch den bleichen Schweif aufgewühlten Wassers, der an ihnen klebte, war ahnbar, daß sie in unterschiedliche Richtungen strebten. Irgendwann sah ich nicht mehr nach unten, nur noch geradeaus. Und es trat dieser Stillstand ein, diese Starrheit einer Fortbewegung.

Vor neben über uns vom Moment des Take-off bis zur Landung ein breites Band aus Sonnenwiderschein. UnterAufgang. Das letzte Band dieses Tages, dessen Rot durchzogen war von gallig gelb erstarrten Fransen und Verwehungen. Das Band war eingekeilt von bodenloser Schwärze des Meeres der Luft. Ein paarmal – jemand machte Blitzlichtaufnahmen – zuckte es weiß über die Tragflächen hinweg. Das irritierte mich kaum. Mein Blick hing an dem Lichtbalken, hatte seinen Geist schon aufgegeben. Ich hatte keinerlei Verlangen, ihn zu wenden oder die Lider zu schließen. Ich hatte auch keinerlei anderes Verlangen. Mehrfach lösten sich aus der Schwärze Fetzen und Stücke, blakten rußig über das Rot hin und verwehten zu grauen Schleiern entlang den Tragflächen.

Diese Schmalheit, diese Eingleisigkeit unserer Flugbahn. Der Bodensatz war greifbar nah, der Himmel niedrig wie eine Zimmerdecke. Dazwischen wir. Es ging durch den Schlitz des Widerscheins in einen flachen Stollen hinein wie in eine geöffnete Muschel. Die Flachheit und Enge entdeckte ich durch meinen angenagelten Blick, der außer dem Stollen nichts mehr fand, wohin er hätte sehen können.

Mein Geliebter stand in der Ankunftshalle. Ich umarmte ihn mit Erleichterung und Skepsis. Er gab mir zu essen und zu trinken. Beides bekam mir nicht. Und schon während der Mahlzeit weinte ich unaufhörlich. Er meinte, das tue mir gut. Zu Hause zog er mich aus, badete mich, brachte mich zu Bett. Mir war übel und schwindlig, und mein Kopfinneres hatte inzwischen deutlich die Form eines Stollens angenommen. Er drückte flach auf mein Gehirn, so daß ich auch noch heftige Kopfschmerzen bekam. Aber mein Geliebter legte sich bald zu mir. Er schüttelte die Kopfkissen auf, bettete meinen Schädel darauf, schob einen Arm unter meinen Nacken als Stütze. Kein Zweifel: so viel Zuwendung hatte ich in den gesamten vierzig Jahren zuvor nicht bekommen. Ich trudelte nach hinten in den Schlaf und in die Nacht weg. Tauchte aber schon bald wieder auf.

Etwas war von gigantischer Unordnung. Es gab keinerlei Gleichmaß, weder des Atmens noch des Herzschlags, noch der Nachtgeräusche in Wasserleitung und Heizungsrohren. Im Schädel brandete der Schmerz unaufhörlich an Stirn- und Scheitelbein. Ich nahm eine Tablette und drehte mich auf die Seite, um das Vergehen des Kopfschmerzes abzuwarten. Sogleich fing alles an, sich um mich zu drehen. Ich legte mich wieder auf den Rücken. Mein Geliebter hatte sich im Schlaf abgewandt, sein Atem ging unruhig. Ich war immer noch zuversichtlich. Bald würde ich wieder eingeschlafen sein, so nah an der Wärme eines anderen Körpers.

Indes war mir in dem Zustand etwas Entscheidendes entgangen. Jetzt, wo ich auf dem Rücken lag, kroch die Wahrheit langsam über mich, tastete jeden einzelnen Poreneingang ab, testete die Durchlässigkeit der anderen Öffnungen, hielt sich insbesondere in der Herzgegend ungewöhnlich lange auf, richtete die Härchen an der Haut steil auf und jagte Schauer über den ganzen Körper hin, als wäre ich ein reifes Kornfeld in eisiger Polarnacht. Die Wahrheit war zurückgekehrt nach zwei Jahren. Diese enge, mörderische, durch und durch verlogene Wahrheit. Wahrscheinlich hatte sie auch vorher schon den Flug in den flachen Stollen gelenkt gehabt. Jedenfalls war sie wieder da, ganz die alte. Einen Moment lang dachte ich voller Panik daran, meinen Geliebten zu wecken, ihm von der Gefahr, in die sie mich brachte, etwas zu sagen. Statt dessen lag ich da und wagte nicht, mich zu rühren. I have never founded my hope upon other than thee. Sie hatte es geschafft.

In den wenigen Minuten, in denen ich die Gefahr erkannt hatte, war ich schon bis zur Unkenntlichkeit zersetzt und zerfressen, einem Ameisenhaufen ähnlich, der ja auch nur eine Masse aus Wegen und Bewegungen ist. Wie komme ich zur Ruhe, dachte ich. Wie kann ich mich aus dem Gewimmel retten und mich meiner Haut wehren. Wie kehre ich überhaupt in meine Haut zurück. Das Herz raste schon, vollkommen wild geworden, auf und ab und rundherum. Ich mußte es, ich mußte mich halten. Statt dessen schoß ich minutenlang in alle Richtungen davon. Einmal spürte ich ganz genau, wie irgendein versprengter Teil von mir sich unter dem Stuck der Zimmerdecke aufhielt.

Eine seltsame Gnade, vielleicht eine Ohnmacht, muß mir dann doch geholfen haben. Denn ich wachte irgendwann auf mit dem deutlichen Gefühl, mich am Rande des Feldes zu befinden, vorläufig, aber nach der Schlacht. Ich lag auch auf der Seite, und mein Geliebter begann gerade, mich zu streicheln und sich an mich zu pressen.

Der Kopfschmerz war verschwunden. Der Körper des Geliebten legte sich als bergende warme Wand von hinten um mich, ein schmiegsames Halbrund, eine Laube. Ich lauschte den Bewegungen nach. Gleichmaß stellte sich her. Danach schlief ich ein. Als ich aufwachte, dachte ich an den nächtlichen Überfall. Ich fürchtete mich in dem grellen Frühlingslicht.

II

ARBEITSGÄNGE

Sie bewegt sich, schon die ganze Nacht, durch ein System von Gefahren und Hindernissen und gerät genau dahin, wovor sie sich am meisten gefürchtet hat: in die Falle. Dort schlagen zwei Männer, Angestellte, jedem Ankommenden den Kopf mit einem Schwert ab; zur Strafe. Aber es ist nicht tödlich, vielmehr wird die Prozedur auf jeden Fall überlebt. Nur hat man hinterher zwischen Kopf und Rumpf eine große wulstige Narbe, einen dicken Wildfleischkragen. Der Kopf wird nämlich nach dem Schlag vom Rumpf gleich wieder vom Boden aufgehoben, auf die Schnittstelle gesetzt und mit dem Halsrest, beziehungsweise dem oberen Teil des Rumpfes vernäht. Es tut nicht weh. Überhaupt ist alles gar nicht weiter schlimm. Nur diese Narbe – nie mehr wird sie zu verbergen sein. In der ganzen Stadt, der ganzen Welt gibt es keine Kleidung, die über eine solche Narbe paßt, die sie wenigstens verdecken würde.

Jetzt ist sie an der Reihe. Sie wird insgesamt ein Stück kürzer durch die Prozedur, wie jede vor ihr geköpfte Person, wirkt anschließend gedrungen und plump. Denn durch das Vernähen des Kopfes mit dem Rumpf gehen Zwischen- und Aufbauschichten verloren. Die Haut wird, wie Leder, von oben und unten her, von Halsrest zu Halsrest hin, zusammengezogen und dann achtlos mit groben Stichen aneinandergeheftet. Den Männern – es sind dieselben, die vorher den Kopf abgeschlagen haben – kommt es nicht darauf an. Es darf ihnen gar nicht darauf ankommen, denn ein gut angenähter Kopf, eine sauber gearbeitete Stoßnaht würde sie ihre Stellung kosten.

Frühmorgens, aber noch im Dunkeln, macht sich die Kälte breit. Sie sitzt schon in Ritzen und Fugen. Der Nordoststurm drückt sie, vermengt mit Pulverschnee, stetig weiter zwischen die Fensterrahmen hindurch, er peitscht sie gegen die Außenmauern und schleudert sie in immer neuen Angriffswellen über Dächer und Schornsteine hin.

Im Dämmer legt sich der Sturm. Bald ist es ganz still. Und nun beginnt sich die Kälte mit Rascheln und Schaben über die Wände, an den Tapeten auszudehnen. Die Frau, mit ihrer Halskrause nun weniger geschickt und beweglich als früher, sammelt und mobilisiert vom Innern des Hauses her alle verfügbaren Energien, versucht die Kälte zurückzudrängen, zurückzuwerfen, aufzureiben. Die aber geht auf unvermuteten Wegen weiter, erschließt ständig neue Bereiche. Zum Schluß kriecht sie auch noch in die Rohre und steigt knackend und knisternd im Wasser hoch, das unter jedem ihrer Tritte, bei jedem ihrer entschiedenen Zugriffe sofort erstarrt und so zu ihrer Leiter wird. Alle Fluchtwege hat sie abgeschnitten; sie weicht keinen Zentimeter zurück. Lauert bereits in Waschbecken und Wanne.

Jetzt sieht die Frau, daß ihr nichts anderes übrigbleibt, als sich selbst immer mehr vor der Kälte zurückzuziehen. Nach diesen letzten Manövrierbewegungen ist sie im Zentrum des Hauses angelangt. Sie beobachtet, wie es von allen Seiten auf sie zukommt, sieht sich selbst zu wie einer Kerze, die im verbliebenen Rest von Sauerstoff noch schwach brennt, deren Schein immer weiter abnimmt, deren gelber Lichtkegel kleiner und kleiner wird, sich in einen blauen Glimmpunkt verwandelt, der ihre Pupillen noch trifft und dann schon nicht mehr ist.

Im schnell lichtlos werdenden, bedeckten Himmel bewegen sich Schwärme rasch hin und her, ziehen wie
Wolken, immerzu neue Formationen bildend; lose
zusammenhängende Massen, hauchdünne Schleier aus
schwarzem Garn, die nach einer fremden Ordnung,
nach unentzifferbaren Regeln und Gesetzen sich zu-
sammenziehen und wieder weiten, ihre Maschen dehnen oder verengen und sich wie riesige Flaggen oder
Nachtrochen selbst in die Luft werfen, den Aufwind
nutzen, am Abwind hinabgleiten, Kurven drehen, krei-
seln, in einer großen Schleife umschwenken und heran-
wehen.

Der Schlaf scheucht sie stündlich, halb-, viertelstünd-
lich bald, aus sich heraus. Die kleinsten Geräusche sind
ihm behilflich dabei. Herzjagen, -getrommel und -ge-
tobe setzen umgehend ein. Sie wälzt sich von einer Seite
auf die andere und vom Rücken auf den Bauch. Und
findet keinen Ruhepunkt auf dieser Matratze, in diesem
Zimmer, in diesem Haus, in dieser Straße, in dieser
Stadt. Und auch keinen anderswo. Wenn sie auf der
Seite oder auf dem Bauch liegt, dröhnt die Matratze von
ihrem Herzgehämmer. Jeder Schlag hallt dumpf nach.
Wenn sie auf dem Rücken liegt, durchschlägt das Häm-
mern die Decke über ihrem Körper und füllt sogleich
das Zimmer aus. Nur zum Fenster scheint es nicht ganz
vordringen zu können, vor dem Vorhang bereits wird
es leiser und verhaltener.

Seit Minuten geht sie auf einen Tumult an der Stra-
ßenecke, vor dem Eingang des U-Bahnhofs, zu. Sie
muß da hindurch. Je mehr sie sich ihm nähert, desto
ungezügelter werden die zwei oder drei Turbulenzen in
ihr, die schon seit dem Aufstehen zwischen Schädeldecke und Magen ruhelos hin und her wandern, hier

und dort anecken, einmal zu schrumpfen, dann sich wieder zu dehnen und überhaupt ständig ihre Gestalt zu verändern scheinen.

Magisch angezogen und wie elektrisiert von dem bohrenden, kontinuierlichen Schrillen und Kreischen, von dem Lärm, der alle anderen Geräusche dieser Gegend und dieser Stunde auslöscht, beginnen sie nun, gegen die Innenwände ihres Körpers zu stoßen, zu trampeln, sich dagegen zu werfen. Denn jetzt wollen, müssen sie raus, an und in die Luft. Sich entsichern, durchdrehen, sich hineinschmeißen in den großen Tumult vor ihr, von ihm mitgerissen, gezündet und ausgebrannt werden. Bei jedem Schritt näher auf ihn zu, toben sie wilder. Sie scheinen auch schreien zu wollen, vielleicht schreien sie schon die ganze Zeit.

Sie spürt, wie jetzt inmitten ihrer Bauchhöhle wegen der Atemnot Rachen sich geöffnet haben, denen nichts übrigbleibt, als sich durch ihr Fleisch zu beißen und sich herauszukatapultieren, dahin, wo die schon halbtoten oder seit Jahren schwerkranken Platanen von einem Aufgebot an Arbeitern mit Atemmasken zu Stummeln heruntergetrimmt werden. Das Arbeitskommando: vier Männer, zwei Laster. Der eine Laster mit offener Ladepritsche, der andere mit einer hoch aufragenden, auf der Ladefläche angebrachten, gelben Hydraulikvorrichtung.

Während zwei der Männer, angeseilt, auf den Bäumen herumklettern und mit einer Motorsäge erst die belaubten Zweige, dann die dickeren und ganz dicken Äste absägen und zu Boden fallen lassen, heben die zwei anderen sie auf und tragen sie das kurze Stück zu dem einen Laster hin. Manche sind so schwer, daß die Männer Mühe haben, sie überhaupt aufzuheben. Einzeln, mit der Schnittstelle voran, stecken sie sie in eine große, eckige Trichteröffnung. Motoren laufen ununterbrochen. Dieselwolken und -gestank besetzen die Luft.

Kaum in den Trichter eingeführt, wird der ganze Zweig oder Ast oder Stamm gierig ein- und weggesogen, schnellt er durch die Öffnung in einen geschlossenen engeren Kanal. Es klingt, als würden Stahlzähne, Widerhaken, Stifte gegeneinander schleifen, mahlen und reißen, als würden alle Laufwerke im Innern des Kanals auf einmal aufeinander zugetrieben, um die in den Weg kommende Beute in Sekundenschnelle zu erledigen, zu zerfetzen und zerfleischen, so schnell, daß nur der geballte Moment des Zerkleinerns und der Vernichtung als eine kurze schrille Steigerung, ein gewalttätiger Höhepunkt des Lärms erscheint. Und gleichmäßig und unbeteiligt läuft die Maschine weiter und sägen die Motorsägen.

Hinter dem Trichter steigt der Kanal, ein überdimensionaler Gänsehals, an, mündet neben dem Fahrerhaus des Lasters in eine klaffende, starre Schnabelöffnung und spuckt von hier, nach jedem verschlungenen Ast oder Zweig oder Stamm, nur eine Handvoll eines feuchten Späne- und Laubgemisches auf die Ladepritsche des zweiten Lasters hin, einen entsafteten, pelzigen Spreubrei. Prustet ihn heraus wie ein übersättigtes und gelangweiltes Kleinkind. Gerade noch sieht einer der Arbeiter sie an, tastet ihren verhüllten Körper ab mit seinen Blicken.

Erinnerungen, Vorstellungen und Aussichten stecken als Messer Nägel Nadeln Pfeile fest in ihrem Körper. Wenn sie vollkommen stillhält, läßt der Schmerz manchmal etwas nach. Weil sie so gnadenlos mechanisch sind, hat sie gestern und vorgestern nacht gegen das Trommelfeuer ihres Herzens pausenlos Vaterunser in sich hineingesagt. Eilig, gehetzt, nicht den kleinsten Zwischenraum zwischen Ende und Anfang, Anfang und Ende lassend. Die Mörder aller Zeiten sind hinter ihr her. Und bisweilen ist sie auch schon entkommen, mitten in der unaufhörlichen Abfolge der Wörtermechaniken, hat sich ein fadenscheiniger Schlaf als Verband um sie herumgelegt.

Einmal war aber auch wirklich alles gut gewesen, weil der Schlaf sie nicht nur aus der Not herausgezogen, sondern sie auch auf eine Ebene verfrachtet hatte, auf die das gesamte Vorherige noch keinen Fuß hatte setzen können.

Jetzt ist Freitag nacht, und sie besinnt sich, ruhig und deutlich, daß sie das Entscheidende noch nie geäußert hat. Erstens: sie steht unter lebenslangem Schock. Zweitens: der Schock läßt momentweise nach und macht einem ungeerdeten Wohlgefühl Platz. Drittens: sie ist untot, weil sie es lebend ausgehalten hat, wie etliche andere auch.
Nun ist sie wieder ganz Ohr, Auge, Erinnerungsmaschine und Gedächtnisorgel. Angetrieben von der pumpenden und zuckenden Herzamöbe. Ein geschlossener, großer Sack mit darin wütender Schlagsubstanz, die ihn schlingern, sich krümmen und winden läßt. Nah an diesem Sack, ein wenig über ihm, hastet ihre im Hirnmundboden angepfählte Zunge nochmals durch Wörterketten, Vaterunser und Gedichtstrophen. Die Schläge aber sind nicht zu übertönen. In die Leinwand eingebunden, hacken sie alles kurz und klein, einschließlich sich selbst, und erzeugen sich immer gleich wieder neu, schlagkräftig und -fertig.
Die krachenden und ächzenden Glieder können das in

der Nacht Geschehene kaum tragen. Ihre Beine müssen es hochstemmen und zusammenpressen zugleich, wenn sie aufsteht von der Matratze. Langsam, ein paar Schritte bis zur Tür machend, dann die Treppe runtersteigend, ruckelt es sich einigermaßen zurecht, nimmt sogar allmählich Form an. Und sie erkennt sich wieder, ihren Körper, der eine Schreckenskammer ist, weil er keine Wahl hat, weil er das anwesende Wissen aufnehmen, sich immer für es bereithalten muß.

Einen ganzen Tag lang weiß sie, bei jeder Handlung und Unterlassung, daß es das Wissen der Untoten, besonders der weiblichen – die ohnehin in der Überzahl sein dürften – ist, das ihr Geliebtwerden verhindert und zum langanhaltenden Schluß überhaupt ihre Existenz vereitelt. Denn sie haben ihr Wissen ja eben dadurch erlangt, daß sie zu lange schon am Leben sind und sich nicht beherzt und frühzeitig entleibt haben. So kommt es, daß sie einiges, häufig zuviel, von der anderen Seite wissen, der der Toten, auf die sie eigentlich gehören. Sie wissen aber auch, und das macht sie natürlich untragbar, zuviel von dieser Seite, der der Lebenden. Sie blicken durch, am ausgeprägtesten nachts. Und jeder kräftige und betont Diesseitige spürt, wittert, daß sie etwas berührt, ja ihrer Meinung nach unzulässig und unnötig aufgerührt haben, es ständig weiter be- und aufrühren, die Tiefen oder Untiefen nämlich, in die aller Gedächtnis ausgestoßen und abgeführt wird. Dabei leben die Untoten ja nun einmal aus dem Gedächtnis.

Sie schlägt noch einmal in sich selbst auf, schneidet, reibt sich wund an den messerscharfen Bitterkristallen. Und geht anschließend, am 23. oder 24. Dezember, aus dem Haus.

Auf den Straßen, besonders an den Kreuzungen, liegen

Glas- und Plastiksplitter. Lichtpfosten sind umgefahren, Begrenzungspfähle aus den Verankerungen gerissen. Leuchtsäulen an den Fußgängerinseln zerschmettert oder eingeknickt. Vor den Eingängen der Supermärkte stehen Menschen Schlange. Schrittweise rücken sie vor, um an die Ware in den Regalen und Gefriertruhen zu kommen; schrittweise schieben sie sich vor bis zu den Kassen, um zu bezahlen. In einigen Läden sind die Regale für Brot und die Kühlfächer für Fleisch, Wurst und Molkereiprodukte schon leer. Es ist Mittag.

Auf den Trottoirs Bier- und Limonadedosen; Zeitungen und Verpackungspapier; Tragetaschen aus Papier, aufgeblasene oder sich bauschende aus Plastik, zerknitterte Zellophantüten; Plastikflaschen und -becher. Rund um die offenen oder geschlossenen Plexitelefonkabinen liegen abgenutzte, erbsengrüne Telefonkarten. Wo das Pflaster der Trottoirs nicht von Müll bedeckt ist, kleben hocken sitzen unzählige Schleim- und Rotzauswürfe. Viele sind zertreten, in die Länge und Breite verschmiert, andere glibbern noch in ganzer Frische, wie soeben hingesetzt. Grüngelbliche, opak schimmernde oder transparente, nur oben weiß, grün oder schaumig gekrönte Gallerthäufchen. Auf jeden Schritt kommen heute drei oder vier solcher Schleimhäufchen oder -spuren. Speichel Geifer Sputum – aus Lungen Kehlen Mündern – junger älterer alter Männer. Auf den Beton, die Steine zungenfertig hingeworfen. Der Beweis, daß auch sie Schleimzonen haben, auch sie überströmen könnten, wird auf die Straßen geklatscht, zum Breittreten oder Weggeschwemmtwerden freigegeben.

Jeder Fußgänger, jede zum Einkauf gehende Frau wird zum Speichellecker gemacht. Mit den Augen müssen sie es aufnehmen, aufwischen, bereinigen, nur damit Platz gemacht wird für den nächsten, immerzu neu sich produzierenden Quell- und Schmierstoff. Als quallige Abfuhr kommt es in den Blick, geht ins Auge auch und gerade derjenigen, die das, was ihnen die Kehle hochkommt, mit Strömen von Tränen hinausschwemmen, -stammeln, -schluchzen und -schreien oder es gegen Bezahlung hinterlegen, abladen, versenken.

Ruhe, Ruhe, ruhig werden. Dann von der Warte der Ruhe aus Gras wachsen lassen über das zerbombte, verkraterte, rauchende und vereiste Gelände. Haut, Moos sich bilden lassen, eine Decke, einen Stein, der das Gelände lückenlos zudeckt.

Es ist dunkel geworden. Die Straße, durch die sie sich bewegt, eine Schneise für die verknäuelten und bis zum Schmelzpunkt erhitzten Linien des Lebens, die erst in den Kühlkammern sich wieder entheddern werden. Ein bis auf den kleinsten Flecken für das Rasende freigegebener und ausgenutzter Raum. Die Schneise ist Teil eines lang und schnurgerade sich hinziehenden, hektisch beleuchteten Schachts, eines flimmernden Steingrabens unter freiem Himmel, auf dessen Grund es strömt und wuselt, in die Eingänge der Kaufhäuser fließt, sich rückstaut und wieder aus ihnen herausspült. Über den Köpfen, noch über den Dächern der Doppeldeckerbusse wird ununterbrochen aus Laserkanonen geschossen. Bengalische Lichtlanzen, -dolche, -schwerter durchschneiden den oberen Teil des Schachtes der Länge nach, zu dritt gebündelt um- und übereinander rotierend. Durch diese Schußverstrebung aus Licht dringen Reste einer kühlen Atemluft, die aus der Höhe der Sterne kommt und einmal ihre linke Wange flüchtig berührt.

KURZATEM GRAUGLUT

Mehltau liegt auf Blättern und Lungenästen. Hier
befinde ich mich; vibrierend vor Zurückhaltung, über-
wiegend in Gesellschaft von Toten, Tönen und Farben,
mittellos – und langsam geworden. Nur mein Atem
treibt zur Eile, geradezu Hetze an. Er ist hinter irgend
etwas her. Will hoch hinaus, zum Kopf und noch darüber hinaus. Auf irgendeine Weite zu, die nirgends ist. Er
verausgabt sich dabei und kommt doch nie über die
Oberkörpergrenzen hinweg. Besonders während der
Hausarbeiten, während der vielen kleinen Handgriffe,
die ich, nicht ohne Geschick, in meist aufrechter Haltung oder leicht vornübergebeugt ausführe, läßt er sich
kaum noch von mir bändigen. Nur wenn ich ganz
bewußt zu ihm stehe – aber dazu muß ich alles aus der
Hand legen oder zumindest für eine Weile in der Beschäftigung innehalten –, gelingt es mir, ihn durch das
Bauchhöhlengeflecht hindurch und bis zu den unteren
Extremitäten zu schicken. Unwillig nur läßt er sich bis
dahin zwängen, Widerstand leistend, und auch nur mit
dem Ergebnis, daß er, gleich einem unter Wasser gehal-
tenen Ball, wieder hochschnellt, sobald ich ihn aus meinem Kontrollgriff entlasse. Wie ein Vogel im Käfig,
dem die Weite der Zugstrecken vorenthalten wird, jagt
er dann zwischen Bauchhirn und Schädeldecke hin und
her und lädt die Umgebung, durch die er hetzt, so auf,
daß alles zu fliegen beginnt, jede Zellwand von einem
Flattern befallen wird und das Herz einen immer
größeren Erregungshof bildet, um sich nicht selbst zu
erschlagen. Das Eingeweidegeflecht verklumpt, wird
hart wie eine Mauer, an die der Atem immer nur
schlägt, bevor er wieder nach oben hin erfolglos das

Weite sucht. Ich zittere dann, spüre, daß ich Auslauf brauchte, aber nicht in irgendwelchen Landschaften, sondern in Gefilde hinein, die auch noch den Himmel unter sich gelassen haben.

Ich müßte bluten, vielmals, immer – das würde helfen. Wäre eine Um- und Ableitung, ein Ablaß. Es verliehe dem Körper die schwergewichtige Hingabe, die daher rührt, daß das Blut ja nicht nur herausläuft, daß der Körper es nicht nur unter sich läßt, sondern daß es auch den Kopf überläuft ohne sein Zutun.

Der Atem muß dem Blutfluß nicht mehr folgen, er ist jetzt selbständig und ungebunden. Er versorgt die unteren Bereiche, in denen die meisten weiblich festgelegten Menschen ihre, wenn auch hartumkämpften, Schlafplätze gefunden haben und immer wieder finden, meistens nicht mehr, hat Dringlicheres zu tun, in das er mir keinen Einblick gewährt. Ansatzweise aber beginne ich zu ahnen, was mir mit ihm bevorsteht. Eine gräßliche Überheblichkeit vielleicht, eine unaufhörliche Weitsicht, die alle Gefühle für die Schlachtorgien und zahllosen Toten in den Müllbergen und auf den Halden verwehrt, die die Blicke zum Schweifen anhält, zum Überflug. Hochamt des verbleibenden Lebens, Engelamt des Abzulebenden, das die fürs Alter unabdingbare Kälte verleiht, das Gnadenabsterben der Gefühle.

Noch ist es jedoch nicht ganz soweit. Noch läßt der Atem sich manchmal zur Vernunft bringen, ein paar Züge lang, wenn ich es schaffe, ihn durchs Sonnengeflecht hindurchzupressen. Ich tue es ohnehin nur aus dem Wissen heraus, daß der ganze Körper ihn eigentlich braucht, und vielleicht auch deshalb, weil ich mir Hilfe für ihn verspreche, Erleichterung, einen Moment von Ruhe und Entspannung.

Die Folgen des Durchatmens sind aber nicht gut, können nie mehr gut sein. Denn schon in den zehn bis fünfzehn Zentimeter oberhalb des Geschlechts liegenden Innenschichten etwa hat sich ein Rückstau gebildet. Wenn der Atem diese Schichten erreicht, beginnen sie, eine gesalzene Flüssigkeit abzusondern, die auch sofort aufzusteigen anfängt, vielleicht sogar sich mit der verbrauchten Atemluft mischt, ihren Auftrieb nutzt und so das Sonnengeflecht passiert, die Kehle, die bereits mit Zusammenschnüren reagiert, den hinteren Rachenraum, dann hochsteigt durch die Kieferhöhlen und sich endlich freispült durch die dafür vorgesehenen Kanäle. Die einzige möglich gebliebene Verbindung zwischen unten und oben ist diese gesalzene Flüssigkeit. Früher, als das Durchatmen noch häufiger geschah, sich sogar ohne mein Zutun vollzog, ohne meinen Nachdruck zumindest, schoß die Flüssigkeit oft nach oben und sprudelte, schoß nur so aus mir heraus, wie aus einem Geysir. Kein tiefer Atemzug, der nicht fündig geworden wäre. Gut, daß der Atem kürzer geworden ist, daß er nicht mehr von sich aus in dieses Massenlager der Nachzehrer hinabsteigt. So bleibt mir für den Rest des Lebens noch ein bißchen Erholung, das heißt Hören und Sehen, die mir ja sonst auch noch vergangen wären.

Und nun kann ich, trockenen Auges und in nahezu atemlos feststehender Einsamkeit, nachts nur durch Knistern, Knacken und Schaben abgelenkt oder gestört, gegen Morgen aber angerufen und gelockt durch die Stimmen der Erdsänger, besonders der großäugigen Dämmerungsvögel, bis zu meinem Ende, wenn alles gutgeht, darüber nachdenken, wie die Welt gemeint gewesen sein könnte. Denn das ist von jetzt an die größte Aufgabe, fast schon eine Bestimmung. Ich stehe dann im Nachthemd da, dicht am Fenster im oberen

Stockwerk, bewegungslos wie eine Erscheinung, ein stummer Traumrückstand, und sehe auf die Reglosigkeit der Gärten, auf ihre bleichen Rasenflächen, die schwarzen Schattenbuchten der Büsche und Stauden, die totenstillen Blumenköpfe hinab. Abgewandt ist alles, eigen, kühl und verschlossen, und dürfte noch gar nicht gesehen werden.

Der Tonfall ändert sich. Ich kann nicht so dastehen, kinderlos, ledig und im dünnen Nachthemd, Morgen für Morgen, und so tun als wäre nichts. Denn da ja keine Tagesordnung auf mich wartet, lege ich mich wieder hin und versuche zu schlafen, in den aufbrausenden Tag hinein, den sich bahnbrechenden Mehrfachkollaps.

Hier ist grellste Hitze, so weit das Auge reicht. Nachts werden nur noch die Farben aus Hoch- und Tiefglut entlassen. Sie stehlen sich in der kurzen Dämmerung sang- und klanglos davon und lassen sich schwer in die Dunkelheit fallen, die sie für ein paar Stunden wie stillgestellt birgt. Ein Vorgang rascher Heimlichkeit, als bliebe ihnen die Überhitzung bis in den anderen Zustand hinein noch auf den Fersen. Von allem anderen aber rückt die Hitze nicht ab. Alles andere bleibt in ihre leidenschaftslose Unnachgiebigkeit eingeschlossen. Und auch morgens hat es nur ganz kurz den Anschein, als wären die Farben aufgefrischt. Bald nach Sonnenaufgang sind sie schon wieder fahl vor Anstrengung und bereits vollkommen erschöpft davon, daß ein langer Tag gleichmäßig anhaltenden Ausglühens vor ihnen liegt. Schon jetzt können sie sich kaum noch auf ihre Gegenstände einlassen, sich niederlassen auf Pflanzen, Mauern, Dächern und Schornsteinen. Als grauweißer Dunst lagern sie sich oberflächlich auf allem ab, eine opake Haut, unter der die festen Körper schwarz werden, und, von Zittern befallen, Abstand halten. Nur Fahrzeuge und Tiere, besonders Katzen, Vögel und Hunde, scheinen mit Farben weiter fest verwachsen, als entstammten ihre Oberflächen einer anderen, hitzeresistenten Skala. Einige Vögel leuchten jetzt sogar erst recht auf. Ihre Unterseiten werden plötzlich sichtbar, vor allem die auf rahmfarbenem Grund gesprenkelten. Überdeutlich treten sie hervor, wie nie vorher gesehen. Und sie blicken lidlos offen, manchmal mit leicht verdrehtem Kopf, aufmerksam gespannt in verschiedene, einander entgegengesetzte Richtungen. Zwei-, dreimal am Tag, abgeschirmt und äußerst zurückgenommen, geben sie leise Melodienteile von sich; oft gerade dann, wenn die ausgebleichte Luft zwischen den Büschen und der glanzlosen Erle sich flimmernd dem Siedepunkt nähert und den Hitzestau auf der Stelle verflüssigen will, überkochen, vor sich hin sprudeln möchte. Selbst schon wie mit ausgekochter Flüssigkeit übergossen und getränkt, gehen die Stimmen schnell in Lispeln und Säuseln über. Es hört sich momentweise an, als ob ihre halbverbrannten Träume sich noch einmal im Fieber rührten, bevor auch sie schwach gurgelnd ersticken. Die Strophen setzen verschwimmend ein, kommen bereits aus Regionen des Unhörbaren, das nur mal kurz die Oberhand verloren hat, ermattet selbst eingenickt ist. Unwiderstehlich der Wille, alles sein und sich hinsinken zu lassen, sich der allgemeinen Auszehrung hinzugeben oder der Müdigkeit des Verfaulens, ähnlich den cremefarbenen Blüten des Schlingstrauchs, die sich aus ihrem traubenartigen Stand einfach fallen lassen, massenweise um die Mittagszeit.

Es könnte sein, daß eben ein Pirol gerufen hat. Von der dichtbelaubten Krone einer großen Linde aus, die hier nicht steht. Es gibt nämlich keine Möglichkeit mehr, sich auszukennen oder zurechtzufinden bei dieser Grauglut. Es ist Ende September und doch erst Anfang August. Und Pirole rufen, scheu und menschenabgewandt, mit schon gebrochenem Genick, nur vor dem August und im tiefsten Versteck, über alle Verwundungen hinweg. Vor der Dichte des Waldes, in den ihre Rufe locken und führen, gibt es keine Rettung. Mädchen, Jungfrauen werden grundsätzlich erst einmal umgebracht. Und irgendeine undurchschaubare Vielfalt, eine Art Zusammenspiel, geht teils stumm, teils flötend und rufend, auch raschelnd und tuschelnd, über sie hinweg. Aus den zurückgelassenen und verrottenden Körpern steigen Verwesungsdünste auf. Aber bald sind sie spurlos eingesunken und abgetragen. Es ist eine Entführung aus dem Einheimischen, wenn dieser seltene Vogel sich hören läßt. Ohne Proviant geht es in die Ferne, und auf den ersten Lichtungen schon wird ahnbar, daß es keinen Rückweg gibt, daß jeder Schritt weiter in die Verstrickung führt.

Während in den abgedeckten, aber weit offenstehenden Häusern die Programme ablaufen, vornehmlich für die zahlreichen Männer in ihnen bestimmt, hört wohl keiner, wie hier draußen die Hitze vor sich hin west, sich stetig der Weißglut nähert und den Pirol vielleicht zum Rufen gebracht hat. Überall werden die üblichen Bälle geschlagen und geschleudert von Füßen, Händen, Köpfen, von Schlaghölzern und Spannetzen aus Fang-, Schlag- oder Feldparteien heraus, die sich an bestimmten geographischen Punkten formiert haben. Alle weiteren Tätigkeiten wurden schon vor Wochen weitgehend eingestellt, eigentlich ja schon vor Jahren. Nur gestorben, geboren, gepflegt und geholfen wird auch bei diesem Wetter.

Zwischen den Platanenreihen auf der Höhe des spär-

lichen, aber großblättrigen Laubs, über der menschen-
verlorenen Fahrbahn, steuert eine einzelne Taube nach
wenigen Flügelschlägen, ganz geradeaus und gleichmäßig schwebend, auf irgend etwas zu. Ihr bugförmi-
ger Bauch ist zum Greifen nahe. Und hinter ihr, durch
nichts mehr verdeckt, plötzlich die sanft ansteigenden
Hangrasenflächen des verlassen daliegenden Parks, als
hätte die Taube, von ihm wegfliegend, ihn erst entstehen lassen, während hier in den Gärten Barbecue-Dün-
ste die ohnehin schon schwere Luft belasten. Die eine
junge Esche aber, besonders gegen Abend, filtert das
Licht sorgsam weiter, als wäre noch immer Frühling
und bis zum Abfallen der Blätter. Als gälte es, zwischen
Boden und Krone, in Kopfhöhe, etwas zu schützen, zu
befächeln und schon beim leisesten Windhauch, auf
engstem Raum, aus einem von allen Seiten angegriffe-
nen Geviert heraus, auf Weiten zu verweisen.

KREBSGANG

Im Krebsgang bewegt sie sich über das Schlachtfeld, das als solches nicht kenntlich ist, weil es selbst nach den kräftigsten Einschnitten und -schlägen augenblicklich wieder zuwuchert und sich zu einer Gegend fügt, der man nichts ansieht.

Nachts ruht sie kaum, weil ihre Beine auch im Liegen weiter robben, kriechen, gehen, in Aufgeweichtes oder körnig Aufgeriebenes sinken und sich immer wieder da herausziehen müssen. Beim Wälzen von der einen Seite auf die andere wälzt sich hinter ihren Augen eine unter niedriger Decke eingeschlossene Wassermasse mit und schwappt und wogt, bevor sie in der neuen Lage allmählich sich beruhigt und still wird, noch eine Weile hin und her. Sie kann das einwärts gewandt erkennen, nicht sehr klar, aber doch so deutlich, als wäre ihr Inneres ein von diffusem Mondlicht beschienenes Gelände. Tatsächlich sind es die Suchscheinwerfer, die ihre Tätigkeit dann bereits wieder aufgenommen haben und aufs neue probieren, hinter ihre zuinnerst gelegenen Verwerfungen und bis in die derb verwachsenen Narbenkrater zu kommen, als befänden sich dort unbekannte und noch nicht patentierte Folterwerkzeuge. Die Suchscheinwerfer versehen ihren nächtlichen Dienst gewissenhaft, unaufdringlich und völlig geräuschlos. Spätestens im Morgengrauen drehen sie regelmäßig ab. Unter dem Lichteinfall können die Träume nicht mehr ungesehen ihre Nistplätze erreichen. Sie stieben auseinander und fliegen auf, hinterlassen zerrissene Bilder, Fetzen, Schnipsel. Für die Beine sind das die schlimmsten Stunden. Denn wenn die Träume aufgestört und vertrieben sind, fallen sofort die Foltermächte ein, besetzen die Plätze und beginnen mit ihrer Tätigkeit. Manchmal kehren die Träume, nachdem die Scheinwerfer abgedreht haben, noch einmal zurück, nicht wiederzuerkennen. Erschöpft, blutunterlaufen lassen sie sich nieder, nachdem sie ununterbrochen umhergeirrt sind, verstört und ziellos die Strecken der Nachtstunden abgeflogen haben, weil sie nirgends landen konnten.

Einmal in den reißenden Strom der Grabtücher geraten, gibt es kein Zurück, keinen Halt mehr. Der Körper kann sich der Strudel nicht erwehren. Er wird weggerissen, abgeführt, in die Kloaken geschleudert und dann der vielfach und amtlich beklagten Zersetzung und endgültigen Auflösung kurz und sachlich trauernd überlassen, mit abgewandten Gesichtern.

Aber der Blick, der es überlebt hat und plötzlich erwacht; das Gehör, das aus den Lärmverliesen entlassen wird, das aufzusteigen beginnt und über nackter Schwarzerde sich wiederfindet, frisch mitten im Krieg, und rückhaltlos und sofort alles glaubt, was ihm die ersten Töne nahelegen: daß die Kühle schon einen Anflug von Milde hat und die Gruppen der geschlossenen Krokusse noch gänzlich unbeschattet sind, daß in gehörigem Abstand die Machenschaften der Stadt in den Feierabend entlassen werden und hier, in der gesammelten Nüchternheit, der Atem der Amseln zu Boden gerichtet ist und versuchsweise zwischen den niedrigen Luftschichten und der Erde die ersten Verbindungen entwirft.

III

ERICHS ZIMMER

Daß Erich mit den Menschen im Bunde war, das wußte man; das wußte auch ich, lange bevor ich ihn persönlich kennenlernte; das eilte ihm ja immer schon als Ruf voraus. Daß er es auch war mit den Tieren, das erkannte ich spätestens, als ich – nach den Gedichten – seine Prosa zu lesen begonnen hatte, vor allem nach der Lektüre des Romans *Ein Soldat und ein Mädchen;* das bedurfte kaum noch der späteren handgreiflichen Beweise – zum Beispiel in der Küche seines Hauses im Nordwesten Londons, wo er noch die einzelne Eintags- oder Gewitterfliege aus dem Salat klaubte und dann behutsam trockenblies mit seinem Atem. Daß Erich aber einen Bund geschlossen hatte auch mit dem Unbelebten, mit den Dingen, insbesondere den alten, aus ihrem ursprünglichen Zusammenhang gerissenen oder gefallenen, den nicht mehr funktionierenden, abgebrochenen oder -geschlagenen, den Trümmern und den auf den Abfall geworfenen mithin, das erfuhr ich erst in seiner Gegenwart in London; das zu bewundern und zu bestaunen erhielt ich immer neue Gelegenheit erst bei meinen Besuchen, beim Zusammensein mit ihm in seinem Zimmer vor allem. Und das erst zeigte mir, daß Erichs Menschlichkeit sozusagen vor nichts haltmachte, nicht bei Mensch und Tier aufhörte, nichts auslassen wollte und nichts übersehen. Denn so wie er das Gute, Bessere oder Mögliche nie ungetan, zumindest nicht unversucht lassen konnte, so mochte er auch nichts ungeliebt lassen oder ungerettet. Und sei es – unter anderem – aus insgeheim eigennützigen, also menschlichen Beweggründen, nämlich daß das gleiche, sollte es einmal nötig sein, auch ihm und den von ihm geliebten Wesen und Dingen zuteil werden könne, nachdem er etliche Male selbst ja fast ungerettet geblieben wäre und nachdem er immer wieder hatte erleben müssen, daß ihm nahe Menschen tatsächlich ungerettet blieben.

Erichs Leben mit den Dingen entfaltete sich nirgends sonst so wie in seinem Zimmer; nirgends konnte einem so klar werden, daß Raum für alles da ist. Sogar das Synthetische noch hatte da ein Recht auf Erlösung.

Dieses Zimmer, Erichs Zimmer, betrete ich jetzt, an einem milden Winternachmittag, noch einmal. Erichs Zimmer ohne Erich. Alles ist da, alles scheint genau wie sonst: dieses vielteilige Gemisch aus Hell und Dunkel, Fenster und finsterer Ecke, aus Regalen, Schränken und Schreibtischen, aus angehäuften Büchern, Papieren, Fund- und Bastelstücken und Bildern. Dieses Gemisch, das einen sofort umfängt, das in seiner konfusen Vielfalt mich aufnimmt, annimmt als Hinzugekommene; das mich augenblicklich miteinbezieht, so daß ich aufgehoben bin in dem Miteinander unter einer Zimmerdecke, aufgehoben wie das Geschriebene, Festgehaltene, still und in sich gekehrt als Buch oder Manuskript Dastehende oder -liegende, aufgehoben wie die Gegenstände und Überbleibsel, Bilder und Abbildungen aus Vergangenheit und Gegenwart. Aufgehoben, nicht vereinnahmt, zugestellt, aber nicht hervorgehoben. Denn in Erichs vier Wänden behielten die Dinge ihre Eigenständigkeit, ihr Fremdes und Irritierendes; hier konnten sie einfach so sein, inkommensurabel, brauchten nicht mehr funktional oder dekorativ zusammenzupassen – sie konnten unpäßlich sein, entlassen aus dem Zwang zur Repräsentation, entlassen auch aus Rang und Namen.

Und da sitze ich nun, in dem niedrigen, ausladenden Sessel unterm Fenster – denn viel umherwandern kann man ja nicht in Erichs Zimmer, man kann sich nur entweder gleich hinsetzen oder mit dem Steiß an einen der Schreibtische lehnen. In dem Sessel, dessen Alter mit immer neuen Lagen von Tüchern oder ausgeblichenen Vorhängen verdeckt wurde, und versuche, das rundum Anwesende noch einmal mit den Blicken abzutasten, ruhig und verwirrt zugleich. Alles ist noch da, alles scheint noch so wie sonst. Vielleicht müßte mal wieder ein bißchen Ordnung gemacht werden. Neue Mappen müßten angelegt werden für die vielen Papiere, die kreuz und quer herumliegen. Neue, mit Aufschriften von Erichs Hand versehene Mappen aus altem Packpapier oder aus schon vielmals vorher benutzter Pappe, die dann ruhigen Gewissens weggelegt werden können, da in ihnen ja alles aufgehoben bleibt, auch das unerledigt Gebliebene. Das erhält dann eben die Rubrik UNERLEDIGT, in großen Buchstaben mit Filzstift auf den Deckel oder Rücken geschrieben. Viel Platz ist allerdings nicht mehr. Überall im Zimmer verteilt gibt es sie schon, hat es sie schon immer gegeben und sind es immer noch mehr geworden. Diese Zeugen der in regelmäßigen Abständen auftretenden Aufräumschübe Erichs. In jedem Zwischenraum, jeder Lücke zwischen, über, unter, vor und hinter anderem diese Mappen, Ordner, Pappdeckel und Papiertüten; gestapelt oder angelehnt. Von Erich zurechtgeschnitten, geknifft und gefaltet, von Erich beschriftet mit diesen verblüffend einfachen und daher oft auch ganz sibyllinisch klingenden Klassifizierungen wie DRINGEND – UNDRINGEND – ANSCHAUEN – NEUESTE GEDICHTE – NEUE GEDICHTE – SICHTEN – MIXED OLD – AKTUELL 76. Die letzte Aufschrift ist durchgestrichen, und Erich hat daneben geschrieben: PAPIER. Es gibt auch eine Mappe mit der Aufschrift BÖSE BELEGE und eine mit den drei großen Buchstaben ODD = odd.

Nach solchen Ordnungsschüben lud Erich mich gern telefonisch zu sich ein, unüberhörbar in aufgeräumter Stimmung. Mit den Worten »Ich bin ganz stolz, ich habe aufgeräumt« empfing er mich an der Tür und führte er mich in sein Zimmer. »Ich habe auch mehrere neue Mappen angelegt«, fügte er hinzu. Spätestens dann lachten wir beide schon, weil wir aus Erfahrung wußten, daß diese Mappen eine sehr schlechte Eigenschaft hatten, nämlich gleich nach ihrer Entstehung schon wieder verschwunden zu sein. Er suchte auch schon – denn er wollte mir jetzt seine neuesten Gedichte vorlesen – die neue Mappe mit der Aufschrift NEUESTE GEDICHTE. Er erinnerte sich an die Stelle auf seinem Schreibtisch, wohin er die Mappe gelegt zu haben glaubte, oder die Stelle auf dem Schreibtisch gegenüber, der eigentlich ein Sprechtisch war, denn auf ihm stand das Telefon, und Erich setzte sich fast nur an ihn, um zu telefonieren. Erich suchte, sagte beim Suchen auf meine Frage, wie diese Mappe denn aussehe, da ich mich an der Suche beteiligen wollte: »Ungefähr so wie diese hier«, und zeigte dabei auf eine der vielen anderen Mappen. Irgendwann fand er sie meistens, ganz wie sonst auch, wenn er nicht aufgeräumt hatte.

Hieraus zu schließen, daß Erich ein unordentlicher Mensch gewesen sei oder einer, der nicht zu organisieren verstand, wäre aber ganz falsch. Nur ließ er es gewissermaßen nicht zu, daß bei ihm – getreu der deutschen Redewendung – Ordnung *herrschte.* Nein, die Oberhand konnte die Ordnung in Erichs Zimmer nie gewinnen; sie hatte nur in etwa das gleiche Daseinsrecht wie auch die Unordnung, war, wie jede wirklich menschliche Ordnung, immer nur eine partielle und vorübergehende. Das »Ordnungmachen« war gleichsam »ganz in Ordnung«, um einen häufigen Ausspruch Erichs zu zitieren, den er gern benutzte, wenn er etwas nicht Perfektem Anerkennung zollen wollte; die in ein System mündende Ordnung hingegen, das, was sie erst hätte hieb- und stich-, niet- und nagelfest werden lassen, war demgegenüber »nicht in Ordnung«. Erichs Gedichte, seine Erzählungen und vieles andere jedenfalls hätten in dem Planquadrat der systematischen Ordnung keinen oder immer nur den falschen Platz finden können. In seinen Mappen aber fanden sie jeweils eine provisorische Bleibe, tauchten sie unter und an ganz unvorhergesehener Stelle, bei passender oder unpassender Gelegenheit, auch mal wieder auf. Erich räumte also eigentlich auf wie ein Kind, das Ordnungmachen spielt, unter anderem damit es Gelegenheit erhält, geliebte Dinge nochmals in die Hand zu nehmen und durch die Finger gleiten lassen zu können, Texte noch einmal zu überfliegen, bevor sie dann doch weggelegt und losgelassen werden müssen.

Es wird dämmrig, und alles ist so still. Ich sitze immer noch in dem alten Sessel. Möchte die Augen zumachen und offenlassen können zugleich; denn wenn ich die Augen schließe, sehe ich Erich deutlicher, wenn ich sie aufmache, sehe ich die Dinge, die Erich hier immer umgeben haben und die jetzt eine Leerstelle, ein Stück Luft, einen Hohlraum umgeben. Ich möchte aber Erich und die Dinge zugleich sehen, wie früher. Ich mache das Licht an, als würde das helfen, als würde ich mit dieser nun hell ausgeleuchteten Leerstelle, da niemand sonst da ist, sprechen, mich unterhalten können, der Stelle vor mir, wo Erich immer gesessen hat. Ich kann mich aber, ob ich will oder nicht, nur an die schweigenden und verschwiegenen Dinge halten.

Also läuft mein Blick weiter an dem kompliziert ineinander verschachtelten, labyrinthischen Regal-, Kisten- und Brettersystem entlang, das ebensosehr von den unzähligen Büchern zusammengehalten scheint, wie es seinerseits die Mengen von Büchern zusammenhält. Mein Blick balanciert von Buch zu Buch, aber es sind zu viele; und es ist ja niemand da, der zu einer Stelle eines Regals ginge, ein wenig dort rumsuchte, dann ein bestimmtes Buch herauszöge und mir daraus einige Zeilen vorläse.

Erichs alte Hermes-Schreibmaschine, seine breitschultrige große Lieblingsmaschine, steht zurückgeschoben unter einem Gestell aus Brettern, das Erich sich ausgedacht und am hinteren Rand seines Schreibtisches aufgebaut hatte, um auf einer zweiten Ebene mehr Ablagefläche für Papier zu haben. Damit die Maschine durch ein etwas zu schwungvolles Zurückschieben nicht hinunterfallen konnte, hatte er außerdem eine flache Leiste an der hinteren Schreibtischkante angebracht. Unverdrossen liebevoll hat Erich diese Maschine immer wieder repariert; nie würde er sie aufgegeben, als einen hoffnungslosen Fall weggeworfen oder den durch die Londoner Straßen ziehenden Old-Iron-Händlern ausgeliefert haben. Eines Tages war sie gleichsam rechtslastig geworden: ihr Farbband wollte sich nicht mehr nach links abspulen und ihr Wagen ebenfalls nicht mehr nach links transportieren. Erich bohrte Löcher in ihre Seiten, zog Nylonfäden hindurch, die er innen an der Umschaltmechanik der Farbbänder befestigte und außen mit Haken versah. Sollte das Farbband nach links abspulen, wurde der Nylonfaden links mit einem Gewicht beschwert, war die Spule dann auf dieser Seite voll, wurde das Gewicht einfach auf die andere Seite gehängt. Und am linken Ende des Wagens hatte er eine lange Schnur angebracht, die mittels zweier eingeschlagener Nägel über die Tischkante geführt wurde und, beschwert mit einem großen Metallgewicht, an der Seite des Schreibtisches hinunterhing, so daß der Wagen immer wieder mit auf die Seite rübergezogen wurde.

Zurückgeschoben steht die Maschine mit ihrem außerhäusigen Prothesensystem, einer Art Doppelschrittmacher, da. Sie wartet darauf, hervorgezogen zu werden; sie möchte schreiben, unter Erichs Händen Buchstaben auf Papier drucken.

Es ist noch stiller geworden; vielleicht halten die Dinge den Atem an, den Atem, den Erich ihnen verliehen hat. Vielleicht hält die Zeit an, damit das Warten nicht so lang scheint. Denn wir alle warten hier offenbar: die Dinge, die Luft und ich. Über dem Schreibtisch mit dem Telefon hängt vor einem Regal eine weiße Digitaluhr aus Plastik. Mit Filzstift hat Erich auf ihr Armband geschrieben: »55 minutes fast« – geht 55 Minuten vor. Vielleicht eine Uhr aus Deutschland, wo die Uhren ja immer eine Stunde weiter sind als hier in England. Eine um fünf Minuten deutscher Zeit nachgehende Uhr.

Mir fällt auf, wie viele Gegenstände hier Augen zu haben scheinen, so daß ich Gesichter in ihnen zu sehen beginne. Und wie viele Bilder es gibt, aus denen man unverwandt angeblickt wird. Das Porträt von Nan zum Beispiel, Erichs zweiter Frau, deren Blick man nicht entgehen kann, wo immer man sich auch in diesem Zimmer befinden mag. Die einen unerbittlich nicht aus den Augen läßt. Und daneben das größere Bild mit dem vor einem dunklen Bücherregal stehenden flachen Leuchttisch, auf dem nackt ausgestreckt jenes masturbierende männliche Wesen liegt, das Leichnam, Säug-

ling, haarloser Greis zugleich sein könnte und das, blau
angelaufen oder von der weißlichtigen Unterlage her
opak schimmernd, aus seinen in den Schädel gebrann-
ten Röntgenkratern anstelle von Augen verzweifelt und
verblödet in die Gegend stiert. Und daneben noch das
kreideweiße Blatt mit dem Paar schwarzumränderter,
kreisrunder Augen, der Punktnase und dem großen
offenen Mund; ein rechteckiges Gesicht, eingefaßt von
einem dunkelbraunen, breiten Rahmen wie von einer
Fülle schweren Haars. Und hinten in der Ecke die
Metalleule, die Erich irgendwo aufgelesen hatte. Eigentlich bloß ein löchriges, siebartiges Blechstück,
wohl von einer alten Waschmaschine, dem er nur zwei
Augen aufgemalt hatte. Sogar die Briefwaage vor dem
Schrank mit den Glastüren scheint durch die Schrauben
auf ihrer Skala wie aus starren Augen herüberzu-
blicken.

Immer schon muß das so gewesen sein; immer schon ist
mir etliches in diesem Zimmer ein bißchen unheimlich
gewesen. Nicht das Glas mit der Handvoll Erde, die
Erich in Auschwitz aufgehoben hatte und die sich später, eintrocknend, als eine Mischung aus hellen, fast
weißen Knochenteilchen und Sand zu erkennen gab.
Das war zu unzweideutig, um nur unheimlich zu sein.
Dahinten aber der lange Schopf braunen Frauenhaars,
der am Schrank herunterhängt und den Erich, wie so
vieles andere, in einem Sperrmüll-Container gefunden
hatte. Und hier vorne die Urne mit der Asche seiner
Mutter, auf der lange ein Topf mit einem Usambaraveil-
chen gestanden hat und die jetzt von einem india-
nischen Federschmuck wie von einem Zaun umgeben
ist. Nein, ganz geheuer ist mir all das immer schon nicht
gewesen. Und einige der Gegenstände und Fundstücke

sind für mich, auch nachdem Erich mir ihre Herkunft, Geschichte und Zusammensetzung erzählt hatte, beharrlich rätselhaft und undurchschaubar geblieben. Und dennoch kommt mir heute hier alles irgendwie verändert vor, als wäre erschwerend etwas hinzugekommen oder als zeigten die Dinge sich von einer Seite, die ich vorher offenbar noch nie an ihnen bemerkt habe. Fast ist es, als ginge eine lauernde Ungeduld von ihnen aus, und die Stille im Raum läßt ihr Verschwiegensein dabei maßlos erscheinen.

Ich schließe die Augen noch einmal und sehe plötzlich ganz deutlich, was mit den Dingen hier los ist, was sie haben, oder vielmehr, was ihnen fehlt. Ihnen fehlt Erich, seine vermittelnde, großzügige Anwesenheit. In seiner Gegenwart sind sie immer so etwas wie gebunden gewesen, beschäftigt; abgelenkt von sich selbst durch Erichs alles miteinbeziehende Präsenz; auch die nicht geheuren Dinge, die bei Erich harmlos und unheimlich zugleich sein konnten, kleine oder unauffällige Ungeheuer, die ganz selbstverständlich dazugehörten, die wie alle anderen ein Recht auf Alltag hatten.

Jetzt aber ist in diesem Zimmer nichts mehr abgelenkt oder beschäftigt – alles wartet, wartet, angespannt fast, – wartet darauf, daß es wieder benutzt, angeblickt, angefaßt, zurechtgerückt, repariert, zusammengefügt werde. Und das nicht ganz Geheure möchte vielleicht nur wieder ein bißchen weniger auffällig sein, möchte erkannt und zugleich nicht ganz so ernstgenommen werden, möchte an der allgemeinen Zerstreuung teilhaben und sich selbst nicht mehr so wichtig nehmen müssen. Noch die ausgetrockneten Filzstifte in der Dose warten darauf, mit der Flüssigkeit getränkt zu werden, mit der Erich ihr Schreibleben ein ums andere

Mal verlängerte. Der eine oder andere Gegenstand möchte mir wohl auch als Geschenk überreicht werden mit ungefähr diesen Worten Erichs: »Du hast das gerade so verliebt angeschaut; möchtest du es haben?« oder auch mit der Bemerkung: »Das habe ich jetzt lange genug gehabt, du kannst es haben. Der – oder die – es mir geschenkt hat, hätte sicherlich nichts dagegen.« Und die Löcher natürlich – oder was immer es sein mag in der kleinen Faltschachtel, die Erichs Aufschrift »Löcher – holes« in deutsch und englisch trägt – diese Löcher möchten wieder wahrgenommen werden; auch sie warten.

Ich muß gehen. Ich weiß etwas, das die Dinge hier noch nicht zu wissen scheinen. Der, auf den sie warten, wird nicht kommen. Irgendwann einmal fallen ihnen vor Müdigkeit vielleicht die Augen zu. Und dann können sie träumen. Nur Erichs dunkelblauer Mantel an der Tür gleitet schlaff vom Bügel, als ich hinausgehen will. Wie ohnmächtig geworden.

IN RUHE UND ORDNUNG:
UNHEILBAR VERWUNDERT

Zu Marlen Haushofers Roman *Die Mansarde*

Zur rechten Zeit ist das Richtige nicht geschehen in ihrem Leben. Einmal und immer wieder nicht. Jetzt ist es zu spät, ist alles zu spät. Ihr wird nichts mehr passieren, 47 Jahre alt, verheiratet, zwei Kinder, Hausfrau – außer daß es so *noch eine Weile weitergehen* kann und daß sie demnächst in die Jahre kommen wird. Sie hat zwar Boden unter den Füßen, sie ist eine gute Hausfrau, aber einen Daseinsgrund hat sie nicht, es sei denn den des Ablebens, auch der übriggebliebenen Zeit. Und just darauf kommt es ihr auch noch an, *Kräfte zu sammeln und dank diesen Kräften die Zeit mit Anstand hinter sich zu bringen.*

Eine Frau aus der Mittelschicht demnach. Um geldliche Angelegenheiten beispielsweise braucht sie sich nicht zu kümmern. Und wenn sie sich die Hände schmutzig macht, dann weil sie es so will, weil sie hofft, daß es vielleicht dazu beitragen könnte, bestimmte Gedanken zu verscheuchen, denn: *An gewisse Dinge und Menschen zu denken, kann ich mir einfach nicht leisten, wenn ich leben will.* Und leben will sie offenbar, in dieser unaufhörlichen Grauzone Jetztzeit, vermutlich schon aus Höflichkeit und Rücksichtnahme.

Es herrscht also Ruhe, es kommt keine Lebenslust und Lustigkeit auf, jetzt nicht und im herannahenden Seniorenalter ganz gewiß auch nicht. Es geht weder aufnoch abwärts, von Seitensprüngen ganz zu schweigen; bleiern gemessen geht es nur noch geradeaus.

Dabei hat sie bisweilen Anflüge von Humor; aber sie läßt ihn nicht heraus, er bleibt wie alles andere an ihre

Innenwelt gebunden. Manchmal lächelt sie bestimmt in sich hinein, wenn sie allein ist, und das ist sie ja meistens, oder sie kichert vielleicht leise vor sich hin. Jetzt schon, mit 47, bei der Vorstellung verschiedener Weckersorten zum Beispiel, die es geben müßte, damit der Tag endlich einmal nicht so schreckhaft anfinge, unter anderem steinerne nämlich, *die ganz leise knirschen und ein bißchen Sand verrieseln.* Zweifellos wird sie wunderlich werden, ist es ja eigentlich schon ein wenig, so ins Nebeneinandergefügte lückenlos eingepaßt, die Parallelschaltung der Ehe widerstandslos mitvollziehend, so daß ein Treffen mit dem anderen nur noch im Unendlichen stattfinden kann, also nie.

Nie mehr, nie wieder, noch nie – darunter liegt so einiges lebendig begraben, auf den Tod wartend. Nur das Denken macht und wartet nicht mit, es preßt sich durch die Verschlüsse, an den Rändern vorbei, geht in Fleisch und Blut über, zirkuliert, nistet sich ein, einmal hier, einmal dort, zieht ab, taucht unerwartet wieder auf – das wilde Denken, das natürliche Unheil.

Es ist der Überschuß aus Vergangenheit und Gegenwart, den die Friedhofsruhe leicht rasend machen könnte, der nirgendwo Eingang findet und auch kein Gegenüber, das spricht, antwortet, fragt. Das einzige und wirkliche Gegenüber dieser Frau ist das Unausgesprochene, das Verschwiegene, das sich zu heimlichem Wissen verdichtet hat und damit zu einem unauflöslichen Nichts. Das allerdings lädt sich jeden Morgen, mit dem Erwachen nämlich, neu auf, denn es will ja, wenn es schon nicht in Raserei verfällt, wenigstens gedacht, mit dem inneren Auge gesehen werden. Unmerklich, organisch gleichsam hat die Frau – und darum ist es überall so ruhig und windstill in ihrer Umgebung – eine Mechanik zur gefahrlosen Verarbeitung des umgetriebenen Wissens, des Unausgesprochenen entwickelt. Sie ist allmählich zu einer Denkmaschine im Dienst der Schweige- und Friedenspflicht geworden. Laufend entschärft sie sich damit, macht sie sich auf diese Weise selber unschädlich. Nichts passiert, nichts bricht auf oder aus, Begehren und Aufbegehren sind dem Weggesackten schon längst einverleibt, und starr vor Anstrengung – oder ist es Monotonie? – hockt die Gegenwart über der Vergangenheit. Keiner verläßt den Raum.

Wenn schon das Richtige nicht geschehen ist, was ist geschehen? Eigentlich nichts weiter, als daß sie 47 Jahre hinter sich hat und daß ihr Leben *nicht tödlicher als irgendein anderes Leben, aber viel angenehmer* ist. Ein Krieg fand statt, als sie jung war, und einmal ist sie von ihrem Mann verraten worden. Ihre Lebenskatastrophen bewegen sich also im Bereich der Norm. Das Übliche, das kaum einem die Sprache nachhaltig verschlägt oder verschlagen hat. *Wenn man am Leben bleiben will, muß man auch einmal einen Verrat begehen können* – sagt sie, schreibt sie auf, denn sie bemüht sich ja, alles zu verstehen, sie macht ja niemandem einen Vorwurf. Das Leben geht weiter, immer so weiter, und endlich über einen hinweg.

Nur einmal ist ihr vorübergehend das Hören vergangen. Ihr schwand ein Sinn. Der Alarm einer *ganz gewöhnlichen Feuerwehrsirene um Mitternacht* ließ sie, jungverheiratet, für zwei Jahre ertauben. Ganz ohne Grund sozusagen, wo sie doch *endlich das hatte, was ich immer wollte, eine Familie ganz für mich allein.* Ausgerechnet. Als wären's die ersten Seiden- oder Perlonstrümpfe. Verordneter und sich immer fortzeugender Wunschtraum alter und neuer Generationen von Mädchen, Frauen, blutigen Anfängerinnen mit stets bösem Erwachen und anschließendem Zukneifen der Augen in diesem winzigen Schrumpfgebilde, wo ja wohl den meisten Hören und Sehen vergeht, ja sämtliche Sinne schwinden, vielleicht nicht ganz so abrupt, dafür aber gründlich und oft für immer. Das konnte sie natürlich noch nicht wissen, als sie jung und unerfahren war, und auch jetzt, gerade jetzt, tut sie so, als wüßte sie es immer noch nicht. Als wäre alles ein großes Rätsel, das niemand je lösen kann. Dabei hält sie nur die Spielregeln ein. Auf verlorenem Posten.

Nun aber geschieht doch noch etwas. Nach siebzehn Jahren ruhiggestellten und abgesenkten Erschreckens eine unvorhergesehene Untiefe. Die Vergangenheit taucht auf, wird ihr per Post ins Haus geliefert, schwarz auf weiß, in ihrer eigenen Schrift. Es ist die vergangene Wahrheit, Siegel für die Wirklichkeit des ihr Geschehenen. Sechsmal kann sie sich selber nachlesen, jeden Tag von Montag bis Samstag, nämlich was sie aufschrieb, als ihr Mann sie wegen ihrer Ertaubung, ihrer plötzlichen Untauglichkeit für die Kleinfamilie, abgeschoben hatte, weggeschickt in die Einsamkeit. Eine Bombe mit Zeitzünder, in sechs Raten in den Briefkasten geworfen, abgeschickt von einem stillen Teilhaber ihrer unbewältigten Erinnerung, einem Zeugen ihrer grenzenlosen Isoliertheit, damals, hinter den Bergen.

Jetzt auf einmal diese Gelegenheit, wenn auch unvermutet, ungewollt. Sie könnte sie ergreifen und sie ihm, ihrem Mann, vor die Füße werfen; sie könnte auch, eher vorsichtig, ihm damit die Augen zu öffnen versuchen, seinen Blick auf diesen ausgedehnt verschwiegenen und nie aufgehobenen Schmerz, auf die niedergehaltene Wut lenken. Aber sie rührt sich nicht, hingegen steht umgehend für sie fest, daß sie nun *ein Stück Vergangenheit zu liquidieren* hat, *jede Vergangenheit gehört ja liquidiert,* geradezu als fiele sie unter bestimmte Vernichtungsgesetze.

Sie tut das sofort, immer gleich sofort nach dem Lesen in ihrem Mansardenzimmer. Sie geht in den Keller und vernichtet dort das Beweismaterial, verbrennt es im Heizofen, sechsmal.

Die Bombe ist nicht geplatzt, das Räderwerk der stillen Übereinkünfte hat nicht zu knirschen begonnen und ist auch nicht mit einem Knall dann auseinandergebrochen. Hier geht das, was schon lange geht, einfach immer so weiter. Fürs Sterben ist es zu früh, fürs Leben zu spät. Und der Alptraum Gegenwart nimmt kein Ende.

Denn diese Frau ist keine Rebellin, und es wird ganz sicherlich auch keine mehr aus ihr werden; sie schmeißt nichts hin, sie zieht keine Bilanzen, um danach noch einmal neu zu beginnen, sie schüttet nicht einmal jemandem ihr Herz aus, und sie dreht auch nicht durch. Nur krank könnte sie noch zur Abwechslung werden bei dem anhaltenden Bemühen, *die Vergangenheit auszurotten.*

Die Ungeduld, die einen bei diesem Ausmaß von Geduld, bei diesem Ausharren im Unabänderlichen, bei dieser Nachsicht, bei diesen tausend und abertausend kleinen Erkenntnissen, Beobachtungen, Wahrnehmungen und Gedanken, die keinen Ausweg aufzeigen, niemanden anklagen und keinen beschuldigen wollen, denen es an Aufruhr, Empörung fehlt, die nicht zum Ein- oder Durchgreifen führen, sondern immer wieder nur zu ein und demselben Nichts, in dem nur noch vorgegebene Linien nachgezogen werden können – die Ungeduld, die einen bei all dem packen könnte, ist nicht berechtigt. Und zu fragen wäre ja auch gleich, welche Chancen sie eigentlich hätte, als 47jährige, mit dem Wissen, mit der Konstitution. Sie würde wahrscheinlich aus der Welt geschleudert oder zumindest bis an ihren Rand.

Nun möchte man sich bei der Aussichtslosigkeit dieses langen Lebens aber doch gerne an etwas halten, ein bißchen Ordnung schaffen in dieser verfahrenen Geschichte, Schuldzuweisungen vornehmen zum Beispiel, zumindest einen moralisch klaren Standpunkt einnehmen. Und dafür gibt es auch immer wieder ganz gute Orientierungshilfen, Fährten, die zu einem Ziel führen könnten, einem eindeutigen Ort, einem Stellwerk. Es fallen genügend Worte, die die Suche erleichtern könnten: *verraten, abgeschoben, im Stich gelassen, verstoßen* und so weiter, aber immer hört die Fährte dann auch schon auf, die Spur verliert sich bei den Denk- und Beobachtungsgängen der Frau, oder es geht plötzlich in eine ganz andere Richtung. Meistens aber liefert sie, kaum daß man das Wort gelesen hat, ein Indiz in der Hand zu halten glaubt, eine Erklärung ab, die alles zurücknimmt, beschwichtigt, entlastet; sie führt Kausalverkettungen an oder gelangt an einen Punkt, an dem ohnehin alles rätselhaft wird und nichts mehr dingfest zu machen ist, es sei denn ein Großereignis wie der Krieg.

Das Ausharren auf verlorenem Posten aber, das heißt das erwartungslose Starren ins Dunkel, in den Nebel, ins Durcheinander ihrer Umgebung, ihrer Zeit, ihrer Welt, dazu die Tatsache, daß kein Beruf, keine Aufgabe, keine Kommunikation sie ablenken, all das hat ihren Blick geschärft fürs angehäuft Ungültige, Wertlose, Nichtbeachtete, für den ganzen Kleinmüll der Nebenwirkungen und dafür, daß er immerzu verschluckt wird von einer reibungslos funktionierenden Mechanik. Unauffällig geht alles vorbei, und Leben ist nur noch eine Begleiterscheinung der Verhältnisse. Keiner weiß mehr, warum was passiert, Rollen wurden vor Urzeiten festgeschrieben und *alles, was zwischen Männern und Frauen geschieht,* ist *sehr sonderbar* und *ziemlich unverständlich. Aber es geschieht eben ununterbrochen, man hat sich daran gewöhnt und denkt nicht mehr darüber nach.* Die Zeit für Rebellion, Entrüstung, individuelle Lösung scheint lange vorbei, und Normalität fällt nun einmal nicht unter die Rubrik: Skandal.

Wo von dem, was geschieht, derart wenig Aufhebens gemacht wird, als wäre es gar nicht oder gar nichts, da wird allmählich alles gleich, und das Einfühlungsvermögen für die Verhältnisse entwickelt sich proportional zum Unverständnis für das, was mit Menschen, was mit dem Leben ist. Auch stellt sich beim andauernden Hinweggehen über das Vergangene so etwas wie Apathie und Beliebigkeit ein: *Der Kristallaschenbecher stand auf dem Tisch und sah sehr schwer aus. Ich hätte Hubert ganz leicht damit erschlagen können, aber ich spürte nicht das geringste Verlangen, es zu tun. Genausogut hätte ich mich selber erschlagen können, heute würde das keinen Unterschied mehr ausmachen.*

Daß ihr da beim Zeichnen im Oberstübchen ihres Hauses, einer Tätigkeit, bei der ihr endlich einmal das Denken vergeht, einzig ein Drache noch richtig gelingt, Sinnbild alles Weggesteckten, der Wildheit und ungezähmten Sexualität, dessen also, was es immer neu zu beseitigen gilt in unseren Breitengraden, ist nur folgerichtig. *Unheilbar verwundert* sieht er aus, eine winzige Utopie auf Papier und außerhalb der Denkdomäne.

Sie aber wird immer wieder ihre Stirn auf die Hände legen und tief und traumlos schlafen bis sie erwacht, sich verschlafen im Zimmer umsehen und wissen, *daß*

ich hier nicht zu Hause bin. Aber ich weiß, daß ich lie-
ber hier nicht zu Hause bin als anderswo. Das ist eigent-
lich schon ein großes Glück. Also ein ziemlich großes
Unglück.

IV

Für Till

VAN GOGH GEHT ZUR ARBEIT

Van Gogh geht zur Arbeit
auf steiler abschüssiger Bahn.
Der Boden brennt ihm unter den Füßen
in kühler Dunkelheit.
Eine immer schneller sich bewegende Lavamasse
                                        sein Wohnort.
Feuerball, flüssige Sonne.
Nicht anhalten, weiter.
Von einem Fuß auf den andern.
Nicht stehen- sitzen- liegenbleiben.
Alles versengt.
Ein Skifahrer bei der Abfahrt auf rotglühender Piste.
Zur Arbeit.
Und immer entlang dieser schwarzen Luft
in die er eingehen wird – als Rauch –
nach getaner Arbeit. Oder eher.
Weiter. Zur Arbeit.
Nichts anderes geht mehr.
Schon das leichteste Feldbett
würde in der kreisenden Hitze versinken
und sich spurlos verflüssigen.
Wirklich. Seine Glieder dürfen nie wieder weich
                                        werden.
Nie mehr darf er sich hinlegen.
Nie eine einzige Ruhe finden.
Es ist kein Licht.
Neben dem Glutstrom nichts als uferlose Kaltluft.
Wer wirft denn den verkrüppelten Schatten
hinter und unter ihn.
Oder kommt er schon ins Rutschen.
Ist dies schon die Sengspur des sich ankündenden Sturzes.
Geh schneller, van Gogh, zur Arbeit.

Lauf. Es ist vielleicht gerade noch Zeit
zwischen Vereisen und Verglühen.
Kein Zweifel, er wird sich ums Leben laufen
bei diesen Arbeitsbedingungen.
Noch ein paar Bilder
kopfüber mit dem Flammenwerfer gemalt
immer noch einmal gegen die letzte Mauer,
                              die Leinwand.
Sein Gepäck will nicht leichter werden.
Er müßte sich selber durchbrennen
wie ein Blutvergießer sich hinfeuern mit Haut und
                              Haar.
Dann – es ist schon passiert –
geht ein dunkles, in alle Richtungen sich
                        dehnendes Blau
das sommerliche Bewölkung nur teilweise abdeckt
mit gelbgrünen Feldern und Wiesen
ihm auf bis zum Horizont.
Aus diesem Bild kommt keiner mehr lebend heraus.
Bis in die Mitte muß er gehen
sich einwühlen, an der Faltachse aufschlagen
oder sich zerquetschen in der plötzlichen Enge.
Die Erde reicht zu hoch, der Himmel zu tief.
Er sieht die Wolkenschweife noch hektisch das
                              Bild fliehen
das stärkste Blau immer hohler werden.
Er müßte hindurch.
Ganz vorn noch und winzig schon im Rücken
die Ansammlung roter Blumenköpfe.
Wie ein Fangeisen schlägt es über ihm zusammen.
Er ist zu weit gegangen.
Van Gogh ist tot.
Bei der Arbeit gestorben.
Sein Rauch steigt auf in die Kaltluft.

Sein Krüppelschatten kreist weiter auf unendlicher
                                        Umlaufbahn.

DAZWISCHEN

Ich muß aufrecht gehen
mich rücklings gegen das Gefälle stemmen
darf nicht ausrutschen
nicht aufs Kreuz fallen
nicht in die unter und hinter mir eingestanzte
                                        Schattenvertiefung.
Auch nicht vornüber kippen.
Es ist kein Licht
zwischen Überhitzung und Unterkühlung.
Schon früh jeden Morgen versackt es
gleich nach dem Aufgang
– ein von schlierigen Dunsthäuten dürftig
                                        gehaltener Dotter –
in den ruhelos aufsteigenden
und stündlich sich verdichtenden Verbrennungs-
                                        schwaden.
Ich gehe schnell
denn es ist hinter mir her.
Aber nicht zur Arbeit.
Himmel und Erde sind keine Arbeitgeber mehr.
Abgetakelte Fabriken
durch die Leute, zu Massen gebündelt
ihre Körper schleusen und schieben.
Aber sie betreten mich laufend
als sei ich Himmel und Erde
und abgetakelte Fabrik
und gehen sogar durch mich hindurch.
Es ist doch gar nichts zu tun.

Hin- und Rückweg ein und dasselbe.
Sie behandeln mich
als hätte ich offene Türen.
Sie trampeln in mir herum
brechen mir einzelne Knochen
graben das Blut ab
– unter ihrem Gewicht biegt sich mein Becken –
und lassen mich schließlich zurück
wie eine geplünderte Stadt.
Einer der Propheten sagt:
Sie ist ein über einer Jauchegrube errichteter Tempel.
Die Frau.
Und in der Sunday Times formulierte es einer so:
Eines Tages, in einer wahren Demokratie
werden alle häßlichen Frauen
vernichtet werden.
Unwidersprochen.

SPHINX – HINTER GITTERN

Jeden Morgen tut sich die Stadt auf
und wird ein Schacht.
Eine riesige Mischmaschine
dreht er sich um sich selbst
den ganzen Tag.
Die Sphinx lag noch ausgestreckt im Bett.
Sie war ein Spätaufsteher.
Das aus dem Schacht aufsteigende Getöse drang
                                                    bis zu ihr.
Aber sie konnte es zuerst nicht entziffern.
Bis sie sich einmal über den Rand beugte und alles sah.
Der Schacht saugte Festes an und gab Körperloses ab
zu ungleichen Teilen.

In der Tiefe krachte und ächzte es
brodelte und mahlte.
Hier wurden die Knochen zerstoßen
und in Flüssiggas umgesetzt.
Weiter oben die schon entsafteten Weichteile
deren Zerkleinern fast lautlos erfolgte.
Ganz oben wurde alles zentrifugal an den
                                 Rand geschleudert
klebte dort als reglose Geschwindigkeit.
Sie wendete sich ab.
Das Schleifen Rauschen Tosen
blähte ihren Kopf auf.
Für Gedanken und Gefühle war es nun zu spät
                                   geworden.

Von dem Tag an wurde sie vieldeutig
– ihr selbst war egal wer oder was sie war –
und lebte sie in einer Art Lattenverschlag
oder Versandkäfig für Zootiere.
Sie wurde noch einmal betreten
und dann nicht mehr.
Gebar Zwillinge.
Das eine Kind war schwarz, das andere weiß.
Aber nur dem schwarzen schenkte sie das Leben.
Und noch lange nach der Geburt
ließ sie immer wieder bereitwillig zu
wie der kleine dunkle Menschenkörper
sich von ihren Brüsten herabgleiten ließ
und nach einem leichten Stoß wie gegen Zitzen
mit dem Kopf gegen die Öffnung zwischen ihren
                                       Beinen
in ihrem Innern für ein Weilchen verschwand.
Zum Umschlungenwerden von ihren Eingeweiden.
Die Sphinx erstarrte äußerlich bald zur vollkommenen
                                       Ruhe.

Langsam hatte der Stein sich über ihr geschlossen.
In dem bläulichen Höhlen- oder Neonlicht
erfroren ihr die Innereien
und sackten unter ihr in eine bodenlose Kaltluft weg.
So dämmerte sie mit weitaufgerissenen Augen vor
                                                  sich hin.
Zeit lief nicht mehr ab.
Sie ruhte nun auf einer Hohlschiene.
Ihre Vorderpfoten waren Stümpfe
ihr Unterleib und ihre Hinterläufe restlos weg-
                                                  gefressen
die Flügel ausgefranste schwärzliche Gerippe
nur noch vorläufig von der Schienenprothese gehalten.
Aber ihr Kopf. Aber ihr Gesicht.
Mit den breiten Backenknochen des Löwenschädels
und den doch wirklich menschlichen Lippen
dem einen blinden Auge
und dem anderen einzigen, das alles sah.
Man hatte ihren Gesichtsausdruck
mit Kanonen beschießen lassen.
Vor Urzeiten. Es zählte nicht mehr.
Das war gar nichts gegen die Ausrottung
ihrer Geschwister und anderen Verwandten.
Hydra Chimäre Drache Schlange Brut.
Sie selbst konnte schon lange nicht mehr
die Stätten des Westens
ZU DENEN DIE SONNE UND DIE TOTEN GEHEN
bewachen.
Hier im Dunkeln und unter dem Stein
vollkommen arbeitsunfähig.
Manchmal versandete sie.
Durch die Ritzen drang der Flugsand bis in ihr
                                                  Verlies.
Auch davor schloß sie die Augen nicht mehr

und die Häufigkeit der Luftspiegelungen nahm
deutlich zu.
Ständig zitterte etwas nach
flimmerte den Höhlenraum auf und ab.
Kurz vor Anbruch einer der unzähligen Ewigkeiten
warf eine Fata Morgana sie auf sich selbst zurück.
Es dauerte lange bis sie sich wiedererkannte.
Dieses andauernde Zittern, dieses Changieren.
Die Spiegelung wollte nicht zur Ruhe kommen
erzeugte einmal im sich Erheben Versteinerndes
einmal sich selber richtungslos in den Raum
lallende Bilder.
Nach dem endlos langen Starren
waren Innen und Außen für sie zusammengefallen
erkannte sie keine Grenze und keinen Horizont
mehr an
keine Lider keine Haut.
Waren Mauern nur noch Linien
die ein und dasselbe voneinander trennten.
Sie erblickte sich – nach so langer Zeit.
Die hochangesetzten breiten Backenknochen
die ungleichen Augen
den menschlichen Mund.
Den totenbleich hochgeschreckten Kopf
Charlie Chaplins Buster Keatons Mephistos
den Binder die heruntergefallene venezianische
Halbmaske
den Affen mit abgerutschter Schutzbrille
diesen schwarzen Hohlmund in allen ihren Köpfen
diesen ausgeleiert stumpfen
nicht nachlassenden und gleichfalls schwarzen
Augenblick.
Und zwischen ihr und ihr – schwebend –
die aus den Höhlen gedrehten

versteinerten Augbälle.
Die Sonne ging unter
und vereint sahen ihre Schädel
AM ABENDHIMMEL BLÜHET EIN FRÜHLING AUF.
Die Wüsten leerten sich
der Sand lief ab
ihr Umfeld neigte sich zur Seite.
Sie riß die Steinlider auseinander
über ihrem völlig unbeweglich gewordenen Restleib
in ihrer Schädel-Sammlung.
Sie wollte plötzlich alles wahrnehmen
sich umdrehen
die Nüstern blähen
die Gerüche verfolgen.
Aber die Nackenstarre war zu einem ewigen
        Korsett geworden
und der Schwund ihres Körpers ließ nur noch
        Phantomwünsche zu.
Lange Wolkenleitern streckten sich in die Schräge
bis vor sie hin.
Ein ruhiges Feuer glühte aus dem Innern jeder
        einzelnen Sprosse
während die Ränder schon aschig ergrauten.
Die Schiene war fest im Boden verankert.
Sie kam nie mehr los
obwohl die Sprossen aufwärts
zum Greifen nahe waren.
Hinter einer sich auffächernden Pappel
stand der Himmel nun senkrecht da
und aus einer Mitte heraus
genau hinter dem schwarzen Geäst
erblühte ein alle Luft durchspannender
oben weit und locker auseinanderfallender
rot durchglühter Rittersspornstrauß.

Bevor der Sand wieder einlief
und das nächste Jahrtausend oder ähnliches
gleichmäßig zu rieseln begann.

Ich habe den Bereich des Schmerzes und des
Schattens gewählt
wie andere den des Glanzes und der Anhäufung
der Materie.
Ich arbeite nicht im Raum irgendeines Bereiches.
Ich arbeite in der einzigen Dauer.

Antonin Artaud: Fragmente eines Höllentagebuchs.

Für Gisela Lindemann.

ARBEITSPLÄTZE

Mit der Geduld der Vereisung an den Lebenden
                                    entlang.
Das Gesicht auf- und schon längst wieder abgetragen
für immer
und ein Bündel abgekappter Fäden
einmal in der linken, einmal in der rechten Hand
verrichte ich meine unbezahlte und nicht
                            gefragte Arbeit.
Daß ich davon leben kann
ist Privileg und Zufallsprinzip.
Meine Arbeitsplätze sind in der Luft und am
                        Boden zugleich
auf und unter den Oberflächen Bahngleisen
                            Autobahnen
in Städten und überall sonst.
Weder kann noch will ich die Arbeit verlassen
höchstens einmal im Tiefschlaf
wenn ich unschuldig bin.
Es gibt weder Urlaubsregelung noch Rentenvorsorge
auch kein Weihnachtsgeld oder die Möglichkeit
                        der Krankschreibung
von Sicherheitsvorkehrungen am Arbeitsplatz ganz
                        zu schweigen.
Ich bin ungelernte Arbeiterin. Muß es sein
denn sonst könnte ich dieser vollkommen regellosen
und unvorschriftsmäßigen Beschäftigung gar nicht
                            nachgehen.
Weil ich mich überall zugleich aufhalte, weiß ich
                            oft nicht
wo mir der Kopf steht und wo ich zuerst anfangen soll.
Während der Arbeit spreche ich nicht
oder wenn, dann nur widerwillig

und auch nur das Allernotwendigste.
Manchmal zwar, wenn die Umstände es erfordern
rede ich auch viel.
Ganze Wortkaskaden entstürzen mir dann
Wörtermassen wälzen und drängeln sich aus mir heraus
ohne daß ich wüßte, woher sie genau kommen
wo in mir sie entstehen und was sie wirklich
                              besagen sollen.
Sie sind mir immer fremd und unverständlich geblieben
und ihr Auftauchen und ihre Erscheinungsweise
sind mir peinlich und unangenehm.
Wie einen Anfall
– Buchstabenschaum vor dem Mund –
versuche ich solches Reden zu handhaben
etwas, wofür ich nicht kann
und nicht zur Rechenschaft gezogen werden will
ein Notfall, den es möglichst ohne viel Aufhebens
                            zügig durchzustehen gilt.

Die Arbeit wird dann bisweilen vernachlässigt
bleibt vielleicht sogar ungetan
weswegen sie eine gereizte Haltung annehmen kann
obwohl ich heimlich und hinterrücks
auch beim Reden manchmal noch weitermache.
Wenn ich nach solcher Ablenkung
mich ihr aber ungestört wieder hingeben kann
und kein weiterer Mensch mich mehr anspricht
liegt sie oft in betörend abwartender Ruhe vor mir.
Dann träume ich davon
den Mund für Wortabsonderungen/ausbrüche/
                                fluchten
nie wieder aufmachen zu müssen.
Am stillsten ist es da
wo ich meiner Lieblingsbeschäftigung nachgehe

wo ein lautloses zurückhaltendes Stimmengewirr
herrscht
und von einer Sprache nicht die Rede sein kann
weil die möglichen Worte im Entstehen schon wieder
vergangen sind
oder sich zurückgewühlt haben in die Erdlöcher
und -tunnel
und so lange ins Dunkel starren, bis die Bilder kommen
selbständige Wesen, Wundgebilde
die überall und immer schon sind
und die von mir gesehen gerochen mit eingeatmet
ja von mir einverleibt werden wollen.
Aufgeriebenes ehemaliges Leben, pulverisiertes Blut
in ausgetrockneten, rissigen Flußbetten
molchiges Gewürm und ineinander verschlungen
Schleimiges
in Schwemmländern
feingemahlener Sand und Staub
an den Küsten der Meere verflüssigten Schmerzes
die bis auf den Grund geleert werden müssen.
Weiterpulsierende augenlose Körper, die darauf warten
endlich ihr Herz abgeben zu können
und dann aufgelöst und fortgespült zu werden.

Manchmal nachts spüre ich das Stimmengewirr hautnah.
Hunderte von Augenlidern oder federleichten Lippen
scheinen sich mir im Schlaf genähert zu haben
und sich nun unmittelbar an meiner Körperoberfläche
unentwegt zu schließen und wieder zu öffnen.
Sie streifen meine Haut wie Schmetterlingsflügel
so daß ein leichter Juckreiz entsteht.

Auf den Müllhalden gärt's und regt es sich.
Wenn ich nur nicht immer so allein wäre

hier, bei der Arbeit.
Mir soll aber auch bloß niemand zu nahe treten
oder gar in mich zu dringen versuchen.
Lange genug haben sie mich mittels dieser Technologie
zu durchlöchern und auszuzehren versucht
haben sie mir mit dem gewaltigen Lärm der Nähe
aufs Trommelfell geschlagen
ihre Tatsachen aufs Auge gedrückt
und ihre pausenlosen Schweinereien ins Gesicht
                                        gespuckt
und auf die Haut geschmiert
während ich
in Krämpfen mich windend, aber unsichtbar
im Liegestuhl lag
wenige Zentimeter über frisch geharkter Erde
die aus Ordnungsgründen nicht betreten werden durfte
– in Nordwestdeutschland –
während mein Gesicht so weit nach innen gekehrt war
daß ich trotz des grellen Frühjahrslichtes
die empfindlichen Augen nicht mehr zu schließen
                                        brauchte.
Ich war schwarz vor Wissen.

Ohne sie
ohne ihre stille Ausdauer
ohne die Worte hätte ich es nie geschafft
wäre ich noch in jeder Gegenwart verendet.
Ohne ihre erregende Schweigsamkeit
wäre ich nie bis zu diesem Außenposten gelangt
wo ich
trotz endgültigen Verschwindens des Unterhautfett-
                                        gewebes
und körperweit platzender Adern
noch ein bißchen ausharren und dabei arbeiten will.

Wo die verbrecherischen Gesten und Tatsachen
                                    nur noch
als Summe vorkommen
die ich den Rechnern zur Bilanz überlassen kann.
Ohne ihre stumme Anwesenheit am Horizont
wäre ich den schlagenden Beweisen frühzeitig erlegen
und hätte das unsäglich verdichtet in meinen Körper
                                    gelangte Wissen
mich nicht nur von den weiblichen Lebenslinien
                                    abgekappt
sondern mich im größten anzunehmenden Schrecken
von vornherein festgestellt.
So hat es nur meine zwei Kinder auf dem Gewissen
von denen ich mich im Gedrängel der Termine
und im Tumult der Gefühle
nicht einmal richtig verabschieden konnte
bevor die freundlichen Schlächterärzte
sie maschinell aus mir herauszogen
und auch weil sie schon von Anbeginn an
schon als Keimlinge aufgespießt worden waren
so daß es erst gar nicht
zu einer menschlichen Verbindung kommen konnte.
Wissen oder Leben
war mir jeden Tag unmißverständlich ausgerichtet
                                    worden.
Und ich hetzte, immer unkenntlicher werdend
durch die Gegebenheiten und den ehernen Alltag
bediente die Fleischerläden und Kloaken der Lebenden
einerseits
und mästete mein einsames Wissen
gezwungenermaßen auf jedem meiner Wege
andererseits.
Heimlich, verstohlen holte ich mir nur manchmal
immer häufiger

Aufschub aus der Ferne, von den verhangenen
                                   Horizonten
die dadurch, bei aller Zurückhaltung, zur größten
                                   Nähe wurden.
Das Wissen hatte als einschwärzender Schatten
über jeder inneren und äußeren Knospe
jedem Trieb und Sprößling meines Körpergeländes
                                   gestanden
jeden Anflug eines Erblühens im Keim erstickt.
Täglich hatte es sich in mir aufgerichtet:
Ich oder deine Körperzeit.
Ein Mörder.
Jeden Tag stach es mich ab, stückweise
in Berlin zum Beispiel
und schärfte dadurch den Blick für die untoten Stellen
in den Landschaften der Städte
am Fuß der Betonmauern
wo sich Sand, Hundekot und Monatsblut mischen
und in einer Laubenkolonie gestorben wird
am Rande eines mit einer Staubschicht überzogenen
fauligen Ententeichs
auf nacktem glitschigen Boden unter Schneebeeren-
                                   gebüsch.
Mit den Todesschreien des Schweins
vollkommen nach innen gekehrt
aufnahmebereit nur noch für das eigene Verschwinden
das sich mit einer geballten Ladung von Lauten
minutenweise noch einmal
gegen die Abwärtsbewegung zur Wehr setzt
mit aus tausenden von Schreien zusammengesetzten
                                   Schreien
mehreren für jeden Nerv, für jede Körperzelle
die erst einzeln
dann gebündelt als noch lebende Bewegung

heiser wund und blind
durch hunderte von verbarrikadierten und verstopften
Notausgängen
vergeblich zu entkommen versuchen.
Ich habe es noch einmal geschafft
durch Kältekammern und weißglühende Kanäle
und durch die unerhörten Schreiverknotungen
hindurch.
Mit nichts anderem vor Augen und hinter mir
als den Schneisen und Bahnen der Verwüstung
die ungerührt weiter geschlagen und gebrochen werden
von den ungerührt weiter geliebten Männern
Teilmördern, Berufs- und Laienverbrechern
die auch im hohen Alter noch
ihr kleines Glück erwarten
und antreffen können
beim bloßen Kampf ums Weitermachen
in der unterschiedlich aufgeteilten Mechanik.

Jetzt kann ich die Tatsachen vergessen
denn sie vergessen mich ja nicht.
Abgeschirmt durch grobmaschige Netze
und geschützt durch windschiefe Zäune und
bröckelnde Mauern
kann ich mich ziemlich sicher auch am Boden
aufhalten
und die Anfälle über mich hinweggehen lassen.
Einiges ist noch zu bereinigen
etliche Linien muß ich noch durchstreichen
oder sich selbst überlassen
damit sie
wie alles, was ich nicht selbst in die Hand nehme
im Sande verlaufen.
Die, die mir ganz nah kommen

wollen mich blindwütig natürlich immer noch
                                    umbringen.
Aber da ich mich nicht
und auch niemanden durch mich
erhalten muß
ist es im Schutz der Nacht nicht so schlimm.
In der äußersten Not bleiben mir immer noch
die Fluglinien
zu denen ich mich mit einem letzten Ruck
                                    aufschwingen kann.

Nur den Glücksverlautbarungen anderer
bin ich noch nicht ganz entkommen.
An unvermuteten Stellen passen sie mich
bei den kleinlichsten Anlässen heimtückisch ab
um sich in mich hinein zu entleeren.
Als meine eigenen Bestrebungen geben sie sich aus.
Wie eine Droge vernebeln sie mich
und entwickeln, immer wieder, noch eine augenblick-
                                    lich bindende Macht
lassen mich dann schwer und gelähmt
am Rande eines Schachtes zurück
in den ich mich
ginge es nach ihnen
für immer versenken müßte.
Noch Stunden später üben sie eine Sogwirkung aus
und führen mein bißchen Energie
in nie mehr einzuholende
rückwärts gewandte Ströme ab.

Ich halte mich an die männlichen Tränen – nach all dem
und während das Leben voranschreitet
an die, allerdings ganz selten gewordene
Übergabebereitschaft der einzelnen Männer

die sich mittlerweile an einer Hand abzählen lassen
an ihre Auflösungserscheinungen
Überflutungsausbrüche Landunterzeichen
an die verflüssigten Hieroglyphen ihrer inneren
                                        Sicherheit.
Aber auch das
werde ich wohl bald nicht mehr benötigen.

Nur FILIP MÜLLER
die ruhig anhaltende Bewegung seines Berichts
von den Toten zu den Lebenden hin
die nicht mehr vergehenden Augenblicke seiner Worte
zwischen zwei oder mehreren Sprachen
das unverwandt immer weiter staunende Dunkel
aus dem Untergrund seiner aufgerissenen Augen
die auch mein Tiefschlaf nicht mehr schließen wird.
Und dann
nach langer, aller Zeit enthobener
tastend gewissenhafter Wiedergabe
des abrupt Abgelebten und Abgestorbenen
der eine einzige
sich erst unmerklich verschiebende Moment
in Bewegung geratener Stillstand, der Sekunden
                                        andauert
und Gesichtslinien und Augenpaar sich aufeinander zu
bewegen läßt
in dem Blick und zum Sprechen geöffneter Mund
sich einem Treffpunkt nähern
an dem alles Wissen
sich zu erweichen, knochenlos zu werden beginnt
obwohl es erst so aussieht
als würde der Berichtende nur kurz innehalten wollen
sich unterbrechen, einhalten müssen.
Dann aber verflüssigt es sich

das Wissen
fängt nach innen und außen zugleich zu fließen an
und überkommt
überströmt
die Worte zwischen hier und nochdort
so daß auch sie schwach werden
untergehen wollen
zurückweichen
sich absinken lassen bis unter die Flut
sich ins Schweigen zurückbetten
und dem Unsagbaren endlich den Vortritt lassen
in einem Schlucken, einem kurzen Anflug von Schluchzen
und dem hilflosen Notruf ABSTELLEN.

WAS SOLLTE MAN LEBEN; FÜR WAS? UND DA GING ICH
IN DIE GASKAMMER
MIT DENEN UND ENTSCHIEDEN ZU STERBEN MIT IHNEN.

Und wie dann die Hunde bellen abends in der
Dämmerung
an einem Fluß mit eiliger Strömung.

Nachts, wenn wahrheitsgemäß nichts anderes
geblieben ist
wird meine Arbeit auch zur Schreckenszelle
in der das bißchen Bewegungsfreiheit und Sauerstoff-
vorrat
für den kleinsten Rest von Leben
nicht auszureichen scheint.
Dann glaube ich mir kein Wort mehr
in der Enge der sechs nackten Wände
weil wirklich alles verloren und nichts gewonnen ist
und die Wortfäden

wie dünnflüssiger Speichel
aus halbgeöffneten und bewußtlosen Mündern
sich kraftlos aufs Kopfkissen legen.
Beim Einsatz der ersten Vogelstimmen aber
gibt etwas nach und wird ruhiger.
Die Welt beginnt wieder Wellen zu schlagen
die sich ausdehnende Luft dringt heran
und gewährt einen kleinen Spielraum
ein Umfeld.
Hinten im Garten
treten die seit Wochen blühenden
letzten drei Margueriten
aus dem Dämmer hervor
so daß mich eine Zuversicht überkommt
mich doch wieder auf die Horizonte zubewegen
und hier und dort
und auch dazwischen arbeiten zu können.

Zusammengebrochen und krank vor Entfernung
schon auf die Welt gekommen
bin ich genau die richtige Person für die anstehende
Arbeit.
Die unüberbrückbaren aber durchmessenen Weiten
die jeden Tag und jede Nacht wieder neu
und bei vollem Bewußtsein ausgehaltenen
Zerrungen Vielfachteilungen und Häutungen
verbunden mit den ständigen Einschnürungen und
Schrumpfungen
waren und sind Training und Eignungstest.
Ohne die gleichzeitigen
Härte-, Dehnungs- und Zermürbungsproben
wäre ich dieser Aufgabe gar nicht gewachsen.
Die Worte brauchen das.
Nur unter dieser Voraussetzung lassen sie Nähe zu

lassen sie sich freischlagen und freilegen
absprengen von der Verlorenheit
und herausheben aus dem Tonlosen
den Engführungen und Untergrabungen.
Sie benötigen das absolute Gehör des Schmerzes
die Kryptästhesie der Knochen
und die Alarmbereitschaft der Grubenorgane.
Sie brauchen natürlich auch mein Blutwasser
und meine Tränen
um erweichen zu können.
Sie brauchen meinen lebenden Körper mit Haut und
                                        Haar.
Meine Krankheiten und Ausfälle
tragen zu ihrer Erholung bei
und bewirken vielleicht ihre Tagträume:
endlich anderswohin zu gelangen
als in immer dieselben Nachzehrerregionen.
An meine Stimmbänder können sie sich halten
wenn sie aufschreien wollen
und verlassen können sie sich
auf meine Verschwiegenheit
wenn sie verstummen
oder noch nicht lautbar werden möchten.

Denn die Gemeinsamkeiten sind aufgekündigt
die Toten sind mir nah und nicht die Lebenden
und die Geister haben sich endlich
wenn auch ungleichzeitig
geschieden:
an Schnittstellen und Wundrändern.
Blütenlose Pflanzen wachsen mir entgegen
äußerst still
und manchmal ist es ganz unheimlich
weil ich so allein bin

und weil es nie wieder
eine Vertrautheit geben kann
unter der Sonne der Folter.
Aber es ist noch zu früh
für endgültige Aussagen
und meine Gegenwart ist noch ungelöscht.
Auch wegen der Worte.
Ich krieche auf ihre Anwesenheit zu
jetzt im bleichen Frühlingslicht.
Ich bin, wie sie, am Boden.
Eine Sprachexistenz.
Ob wahrgenommen von den Lebenden oder nicht.
Dämmerzustand Zwitterwesen Traumfigur
die seit eh und je
in ihrem eigenen Narkosezustand nach schwerer
Krankheit
überlebt.
Sie träumt sich auch selbst
garantiert so ihr Fortbestehen
oder ist im Koma
gleich weit entfernt von allem.
Ich muß ein Gehör entwickeln für das was sie hört
einen Blick für das was sie sieht
und Buchstaben, Silben, Worte für das
was sie unhörbar sagt
murmelt brabbelt für sich behält
singt oder schreit oder brüllt
hinatmet oder -haucht.
Sie bewegt
sie rührt sich und mich
halt- und gesetzlos
hält sie Grund und Abgrund in Bewegung und in Atem
verhindert Bodensatz und Feststellung.

Tritt Blick Biß in den Sand
weg von den Lebensführungen und -bildern
die ihren Griff einfach nicht lockern
bis zum Umfallen würgen und festnageln wollten.
Aus allen Samen kam schwarzes Gras
aber glänzend und üppig.
Erbrechen
in Sandwellen eingeschrieben Erbrochenes
heranschwappendes Strandgut
oder im Auslaufen erstarrende Lebendreste und
                                              -brocken.
Den Mund geöffnet die Augen geschlossen
oder gleich Augenaufschlag und Schließen des Mundes.
Sich leerende oder sich füllende Adern
schwellen sie an und schrumpfen zugleich.
Und das Fleisch
wird es ab- und aufgetragen in einem
wächst oder verzehrt es sich rund um die Knochen
schält sich die Haut von den Überresten
werfen die Würmer sie auf
oder fügt sie sich lappig zusammen
eine nahtlos verheilte Skelettmaske.
Übergangsverweser
an einen teils beschrifteten
teils verwitterten Grabstein gelehnt
Geschöpf zwischen den Geschlechtern
zart
haar- und faltenlos
nackt und biegsam
vielleicht nichts als eine Bodenverwerfung, Düne,
                                              ein Sandhaufen.
Weder alt noch jung
zu gleichen Teilen über und unter der Erde
begraben und auferstanden

belebt und unbelebt
Pflanze, die im Behältnis eines menschlichen Körpers
in menschliche Haut gehüllt
dem Wüstenboden entwächst
ihn durchbohrt hat, durchbrochen
hochgetrieben und gespeist aus heimlichen Quellen
Brunnen Grundwassern.
Augenblickliche Oase oder Fata Morgana
zwischen den Abschlachtordnungen
Lagern und Gesetzen.
Der leicht erhobene oder sich absenkende Arm
angewinkelt über dem Herzen
die leicht gekrümmten Finger an der schmalen Hand
wie Palmwedel fächelnd
in dem Luftzug zwischen Mundöffnung und Boden.
Anhaltend letzter oder erster Wink
Verlängerung und Untermalung des lautlos
                                        Ausgesprochenen
Hingehauchten
oder an den Stimmbändern schon Innegehaltenen.
Von Griff und Zupacken befreite Hand
die schwebend und schwerelos
die tonlosen Silben, Worte, Sätze in den Raum weist
in die Mitte zwischen Himmel und Erde
auf die Luftströme leitet.
Geste und Wort voneinander geschieden
nur noch durch dieselbe Luft
die beide beatmet und hervorgebracht hat
und denen auch die Sandstürme nichts anhaben können
weil Mund und Kehle nur vorübergehend versanden
und die Gesten hörbar
und die Worte sichtbar bleiben
in den Pausen
zwischen den Schichten.

GALLGESANG

Wechselkoller abends
unter den Zwangsnachbarn.
In die Balkonzeile sich drängende
Brüstungsschwadron
zwischen Kontoständen
und Zinssätzen
wühlender Unterbrustquell
spuckt Sand
auf die Alters- und Leberflecken
und fügt sich nur den Oberrandsalven.

SIE
mit und dagegen Schwundgebeugte
zwittrig zersiebt
in den Laibungsstürzen.
Ruheloser Notknochen
weiblicher Herkunft
doch jetzt noch
von Schönheit gezeichnet
nach den paar
hastigen Atemzügen
VOM PLANETEN
den zwei drei Sekundenmahlzeiten
im Straßengraben.
Lichtnelkengelehnt
mit dem Pannenbesteck
zum Aufgabeln
des nur noch auswärts Erheischten
und sommers.

Im Zartbruch

fallsüchtig erregt
Äonen durchgestanden
von Wahn und Anprall
skelettloser Kinderwald
geschachtelt gehalmt
auf Schotter und Kiesel
hingrünend
Bodenatmung
blicksame Feinflur
verwaschener Tuschhalden.

Auf –
in den Mutterschlag
die ausgebellt nachheisernde Umkümmerung
Blusendürre
Krümmermitleid
einmal –
von der Buschzone her
nachtgellender Aufruf
einer Erdsängerin
hoheitsgebietendes Schrillgedicht
fürs Bewüten und Bewildern
der Trommelfelle
das die Mit- und Abfühligkeit
streckt und verreißt
zerstieben läßt
im gelaufenen Tag.

Minutenlang
brandet es ans schmalzig Vertopfte
im Zähl- und Aufrechnungsgeviert
bestürmt das abgeprügelte Erdreich
bis unter die Keller.
Vorkau

galliger Lockruf ins lange schon Tote
wechselt den Tonfall unerhört
flötet einwärts
zum Aufsaugen der angeschlagenen Süße
verschluchzt sich
kurz nur
speist sich bricht ab.
Ein gelassener Flügelschlag
richtungsweisend aus dem unverfrorenen Preßgebiet
weg vom eingepelzten Etagengreinen
Rührgift
und Zickern.

V

NACHSCHRIFT

Die Strecke, kaum noch im einzelnen nachzuzeichnen, könnte hundert Jahre lang sein oder nur zehn. Genaues erinnert sich nicht, vage nur die Abfolge von Küchen- und Kümmerdiensten und die unaufhörlichen Tumulte und Turbulenzen, ins Innere wie in eine Abteilung geschlossen, die sich zu kleinsten Ur- und Unwesen – *Wimpertier* bis *Winzigkeit* – beugen lassen mußten, um möglichst unauffällig so sich zu verpulvern oder aufzureiben. Daher das Gefälle zwischen Aufschwung und Absturz, die schwindelerregende Drosselung von Auf- oder Abtrieb, das Umschlagen der Siedepunkte in Vereisung oder Unterkühlung, Grund für die bisweilen schrille Kammerstimme, für den manchmal durchdringenden Kornetton.

Vor allem im Frühjahrslicht entblößte sich das Schreckliche oft ungehalten. Man wußte nicht wohin mit sich selbst und all dem längst und unentwegt Zerstörten, Aufgebrauchten, Unbedauerten und -betrauerten. Zusätzlich hielten es einem die Nächte vor, oder sie hinterlegten es einem. Arbeits- oder Spaziergänge, Fahrten oder Transporte führten grundsätzlich nur durch Landsterben und -vernichtung und entlang dem Meer aus Abwässern und Abfällen. End- und uferlose Wahrnehmungsarbeit, Trommelfeuer der Unerträglichkeiten. Überschußproduktion der unbeirrt weiter zugespitzten Sinne, die als Ausschuß verstanden werden sollte, als für die Kloaken bestimmt.

Das Schreiben der Texte hingegen erinnert sich wörtlich. Denn da konnte alles erst sein, seine angeborene Größe einnehmen, seinen Raum. Jetzt erwies sich die Verwundbarkeit, gern als Überempfindlichkeit gebrandmarkt, als unendliche Berührbarkeit, als Bewegung bis in die Haar- und Zehenspitzen hinein, und noch darüber hinaus, und als unermüdliches und unbestechliches Begehren, als Leidenschaft für das, was war, ist und sein wird.

Daher erinnert sich das Schreiben auch als neben oder außerhalb der Strecke sein, als erleichtertes Entgleisen und einzigartiges Ankommen zugleich, als immer wieder außergewöhnlicher und unvorhergesehener Aufenthalt. Jeder Text, sein Geschriebenwerden, ein Zungenfest, Pfingstkuß quer zu jedem Zeitablauf, jeder Tages- und Jahreszeit, unerschöpflich und unverschleißbar.

Es war schon das Zeichen, der Beweis, daß die nervengebündelte Sicht auf die Dinge und Verhältnisse nicht einem Versagen oder gar einer Entsagung oder Absage entstammt, sondern vielmehr einer grenzenlosen Zusage, einer wenn auch manchmal stockend oder klumpend sich ballenden Kraft, der sowohl die rotglühende Wut wie auch die kurz aufblitzenden Ekstasen zugehörten. Das allerdings war während des größten Teils jener Strecke noch ein latentes, blindes und taubes Wissen, das erst später, mit Nachdruck, zu sich kam, unter anderem Erkennungsgeschenk der Felsin.

Und so ändern sich Ton, Grammatik, Rhythmus. Wahrscheinlich möchte ALLES zum Schluß Kindheit werden, größter Anspruch, gigantisches Fühlvermögen, Entwurf und Erinnerung in einem. Isorhythmisches Konstrukt, Gotiksegel mitten in die Verbrennungsschwaden hinein – und die tödliche Vernetzung. Fein und zart, gewalttätig und überschwenglich. Bis zum Anhalten des Atems und während unaufhaltbar die Restwelt gemeinhin verdampft, verschwindet, entgeht.

Inzwischen – es ist ja noch nicht ganz soweit – ent- und

verschärft sich das Wissen zugleich, und die besonders morgendlichen Agonien erklären sich trotzdem weiterhin nicht, es sei denn als folgerichtiges Gefühl, als angemessene *sensation,* und als das von der Sprache einem Abverlangte, vielleicht sogar notwendige Initiation in den anderen Bereich. »Die Worte sind ein Morast, den man nicht in der Nähe des Seins, sondern seiner Agonie klärt« (Antonin Artaud).

Im Traum ist die Strecke schon zusammengeschmolzen, sind die Orte/Stationen – *Fleischlaß* vom Anfang her, *Steinschlag* zum vorläufigen Ende hin – zusammen- und ineinandergewachsen.

Am Grund eines klaren fließenden Wassers lagen, zwischen Kieseln, graubraun und rahmfarben gefleckte Zungen. Sie bestanden aus einem Fleisch-Stein-Gemisch und waren eßbar, ja galten als naturgegebene, aber rare, weil nur langsam nachwachsende Delikatesse. An die Konsistenz allerdings mußte man sich erst gewöhnen, obwohl beim Probieren nichts zwischen den Zähnen knirschte und auch keine Fasern hängenblieben. Nach dem Genuß konnte, wenn sie es wollte, die eigene Zunge sich gabeln und verschiedene Sprachen gleichzeitig sprechen oder auch einfach nur zugleich sternwärts und zu Boden züngeln.

Anne Duden, März 1995

Fleischlaß, zuerst erschienen in: taz vom 3. 11. 1984.

Die Jagd nach schönen Gefühlen, zuerst erschienen in: taz vom 4. 5. 1985.

Wimpertier, zuerst erschienen in: Literatur Magazin, Nr. 20, Hamburg 1985.

Fassungskraft mit Herzweh, zuerst erschienen in: Die Schwarze Botin, Nr. 21, Berlin 1983.

Fancy Calling It Good Friday, zuerst erschienen in: Neue Rundschau, Heft 3, Frankfurt am Main 1983.

Arbeitsgänge, zuerst erschienen in: Hamburger Ziegel. Jahrbuch für Literatur II 1993/94.

Kurzatem Grauglut, zuerst erschienen in: Litera Pur. Zeitschrift für Literatur, Nr. 3, Hamburg 1992.

Krebsgang, Erstveröffentlichung.

Erichs Zimmer, Beitrag zur Gedenkfeier für Erich Fried am 4. 3. 1989 in London. Zuerst erschienen in: Neue Rundschau, Heft 4, Frankfurt am Main 1989.

In Ruhe und Ordnung: unheilbar verwundert, zuerst erschienen in: »Oder war da manchmal noch etwas anderes?« Texte zu Marlen Haushofer. Frankfurt am Main 1986.

Van Gogh geht zur Arbeit/Dazwischen/Sphinx – hinter Gittern, zuerst erschienen in: Jahresring 84–85. Jahrbuch für Kunst und Literatur, Stuttgart 1984.

Arbeitsplätze, zuerst erschienen in: Jahresring 88–89. Jahrbuch für Kunst und Literatur, Stuttgart 1988.

Gallgesang, zuerst erschienen in: ndl – neue deutsche literatur. Das 500. Heft, Berlin 1995.

Van Gogh geht zur Arbeit/Dazwischen/Sphinx – hinter Gittern, diese drei zusammengehörigen Texte wurden ausgelöst durch den Besuch einer Ausstellung mit Gemälden Francis Bacons in der Pinacoteca di Brera in Mailand. Besonders zwei Bilder des Malers schrieben sich den Texten mit ein: »Van Gogh geht zur Arbeit« (1957) und »Sphinx« (1954) – beide Pinacoteca di Brera, Mailand.

ANNE DUDEN
STEINSCHLAG

Gebunden

In ihren früheren Büchern »Übergang« und »Das Judas-schaf« bewies Anne Duden ihr »absolutes Gehör des Schmerzes«. Diesmal steigt sie in den »Bereich des Schmerzes und des Schattens« (Artaud) ganz hinab. Sie zwingt uns, die Augen, Ohren, alle Sinne offenzuhalten für die Wörter und Bilder, die den Schutz der gewohnten Erfahrung attackieren.

KIEPENHEUER & WITSCH

Zehra Çirak
Fremde Flügel auf eigener Schulter

Gedichte

Englische Broschur

Auch in ihren neuen Gedichten setzt Zehra Çirak, die im Labyrinth zwischen den Kulturen aufwuchs, sich und ihre Sprache dem Experiment lust-angstvoller Veränderung aus. Sie verrückt Dinge, Gedanken und Wörter so, daß eine Atmosphäre der Gewalt und Bedrohung entsteht. Der »heimatlose Besen«, der nicht mehr vor der eigenen Tür kehrt, fegt jetzt »in verhexten Lüften«.

»Voll melancholischen Charmes und sensibler Subjektivität spielt sie in ihren Gedichten mit vertrauten Wörtern und Sätzen, die überraschend in einem neuen Licht erscheinen«, heißt es in der Verleihungsurkunde zum Förderpreis des Friedrich-Hölderlin-Preises, den Zehra Çirak 1993 erhielt.

Kiepenheuer & Witsch

Zehra Çirak
Vogel auf dem Rücken
eines Elefanten
Gedichte

Englische Broschur

Zehra Çiraks Gedichte sind das überraschende Produkt
einer widerspenstigen Identität zwischen zwei Kulturen –
der deutschen und der türkischen. Voller Witz und Lust am
Widerspruch bewegen sie sich zwischen den Bedeutungen
der Wörter und Bilder hin und her, immer auf der Hut vor
dem latenten Schrecken einer Existenz »auf heißem Boden«.

Kiepenheuer & Witsch

Joachim Sartorius
Der Tisch wird kalt

Gedichte

Englische Broschur

»Alle sprechen sie vom Überleben«, sagt Joachim Sartorius über seine neuen Gedichte. Überleben als Wiederherstellung einer Aura in einem Leben, dessen Wirklichkeit immer rascher zerfällt. Aus den »Ikonen des Übergangs« zwischen den geographischen, geschichtlichen, persönlichen und sprachlichen Zonen entsteht die unverwechselbare Poesie dieser Lyrik.

Kiepenheuer & Witsch

Joachim Sartorius
Sage ich zu wem
Gedichte

Englische Broschur

Angeregt von französischer und amerikanischer Dichtung,
entdeckt Joachim Sartorius die Möglichkeiten der deutschen
Sprache für eine vieldimensionale Lyrik. In weitgespannten
Gedichten umkreist er unsere heutige Befindlichkeit und immer wieder das, was die Zeit mit uns, mit den Menschen
macht.

Kiepenheuer & Witsch